L'INTUITION

OASIS

9

channelé par
*JR*obert

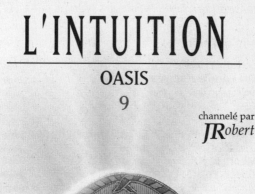

D0785538

Couverture : Pierre Desbiens, Desgraphes

9-L'intuition

© JRobert 2000
Tous droits réservés
http://www.site-oasis.net

© **Éditions Berger A.C. 2000 (format de poche)**
C.P. 48727, CSP Outremont
Montréal (Québec) Canada H2V 4T3
Téléphone : (514) 276-8855 Télécopie : (514) 276-1618
editeur@editionsberger.qc.ca • http://www.editionsberger.qc.ca

Dépôts légaux : 2e trimestre 2001
Bibliothèque nationale du Québec
Bibliothèque nationale du Canada

ISBN 2-921416-32-8

Distribution au Canada : Flammarion
(Socadis) 350, boul. Lebeau, Saint-Laurent (Québec)
Canada H4N 1W6 Téléphone : 514-331-3300
Télécopie : 514-745-3282 Sans frais : 800-361-2847

Distribution en France : D.G. Diffusion
Rue Max Planck, C.P. 734, 31683 Labège Cedex France
Téléphone : 05-61-62-70-62 Télécopie : 05-61-62-95-53

Imprimé au Canada
1 2 3 4 5 IT 2005 2004 2003 2002 2001

À propos d'Oasis

*O*asis est le nom collectif donné aux quatre Cellules qui parlent à travers JRobert. Ces quatre unités d'énergie sont les porte-parole de milliards d'autres qui forment, contrôlent et édictent les lois qui régissent l'Univers. Elles se désignent elles-mêmes du terme Cellule pour faire comprendre que leur rôle et leur fonctionnement dans l'Univers est à l'image des cellules du corps humain, et pour nous rendre conscients que l'univers extérieur est comme notre univers intérieur.

L'origine du nom

*D*ans leur dimension, les Cellules ne portent pas de nom. Aussi ont-elles proposé au premier groupe à paraître devant elles de leur choisir un nom correspondant à l'état d'être qu'il ressentait en leur présence. C'est ainsi que le nom Oasis fut choisi. JRobert en fit une illustration qui devint l'emblème de ses activités et de la collection de livres.

L'emblème

L'emblème d'Oasis joue un rôle important. À travers lui, il est possible de contacter les Cellules :

« Nous vous avons dit de demander lorsque vous aurez besoin de nous. Nous vous avons même dit comment vous y prendre. Si vous ne pouvez percevoir nos énergies, vous n'avez qu'à imaginer l'emblème et vous aurez perception de nous. Nous comprenons l'association et nous entendrons. Oh, direz-vous, vous êtes quatre : qu'arrivera-t-il s'il y avait 200 personnes qui visualisaient simultanément votre emblème ? Ne vous en faites surtout pas pour cela car, en fait, nous ne faisons qu'un, donc vous aurez tout de même ce que vous aurez demandé. Faites l'essai, vous verrez... » – Oasis (*août 1990*)

La mission

《 Vous dérangez ». Ces simples mots résument pourquoi les Cellules ont choisi d'intervenir sur notre planète. Nous dérangeons les autres mondes auxquels nous sommes interreliés, que nous en soyons conscients ou non.

Leur espoir, c'est que nous acceptions de changer individuellement pour que notre profond goût de vivre rayonne et se propage autour de nous. Leur espoir, c'est aussi que nous soyons toujours plus nombreux à réussir la fusion de notre Âme et de notre forme afin de rétablir l'équilibre de notre planète et de l'Univers.

Par leurs paroles et par leur présence à travers l'emblème, les Cellules nous apportent un véritable soutien afin que nous apprenions à renaître et à donner du sens à nos vies.

Le channel

J Robert est le pseudonyme du channel à travers qui, depuis 1981, parlent les quatre Cellules surnommées Oasis. Les messages reçus durant les transes sont publiés dans les *Entretiens avec*

Oasis. La collection Oasis, c'est donc d'abord cette œuvre encore en devenir, mais c'est aussi l'ensemble des travaux du channel à l'état d'éveil.

Médium malgré lui

J Robert est né le 25 juillet 1950 dans une famille catholique de Montréal, au Québec. Rien dans sa vie ne semblait le destiner à la tâche qu'il accomplit auprès d'Oasis depuis septembre 1981. Comme il se plaît à le raconter aux gens qui le rencontrent pour la première fois, lorsqu'il était enfant, il aimait jouer des tours et on avait bien du mal à le punir parce qu'il riait tout le temps. Sauf pour l'habitude qu'il avait de réciter répétitivement son chapelet et qu'il assimile maintenant à des exercices de concentration, rien ne le préparait spécifiquement à être channeler. À l'école, il obtenait tout juste les notes de passage et il ne s'en souciait pas vraiment. Il a travaillé pendant trois ans dans l'entreprise familiale, pour ensuite devenir tour à tour policier [gendarme], programmeur-analyste et chef d'entreprise.

Les premières manifestations de médiumnité dont il a été l'objet ont été fortuites. Ce sont les gens présents qui l'ont informé de ce qui venait d'arriver. Il refusa catégoriquement le phénomène pendant près de deux ans. Au prix de vomissements et de maux de tête récurrents, il a tout tenté pour faire cesser ces manifestations : hypnose, acupuncture, médication. Puis graduellement, on lui amena des gens en difficulté, qui cherchaient désespérément des réponses à leurs souffrances et à leurs interrogations, et il accepta de les aider. Pendant quelques années, il cumula donc les transes privées et son travail, qui consistait à monter des commerces clés en main. Cette situation s'avéra extrêmement exigeante sur le plan physique et il dut souvent se raccrocher à la phrase que sa mère lui répétait tout au long de son enfance : « Si tu fais du bien à une personne au moins une fois dans ta vie, ta vie n'aura pas été inutile ». Enfin, épuisé, il choisit en 1989 de se consacrer exclusivement au travail de channeling et d'organiser des sessions de groupes où les questions seraient d'intérêt collectif.

Simplicité et liberté

Une grande liberté marque tous les aspects de l'intervention d'Oasis. Il n'y a ni publicité pour les activités, ni cotisation, ni carte de membre, ni obligation, ni suivi de ceux qui choisissent de se retirer. Jamais JRobert n'a toléré qu'on promouvoie le culte de sa personne. Au contraire, il se refuse à jouer un rôle ; le seul terme « gourou » le fait frémir. Peu à peu, il paraît évident que cette simplicité est elle-même garante non seulement de l'absence d'emprise du médium sur les gens mais aussi de la qualité de la transmission, donc des messages :

> « Nous dédions ce livre à une forme [JRobert] qui, au delà des apparences et des critiques, a su rester elle-même. Elle a su rester plus enfant que la réalité, ce qui lui aura permis de vivre des expériences bien au delà de ce qui était permis dans le passé. Nous la remercions aussi pour cette sincérité qu'elle a eue de ne pas jouer de rôle et de rester elle-même.

Encore une fois, l'authenticité de nos propos n'aurait certainement pas été aussi possible si nous n'avions pas eu cette forme ». – Oasis (*tome III*)

L'entourage de JRobert partage la même simplicité et le même respect de la liberté individuelle. Jamais Françoise, la personne de confiance qui l'accompagne durant les transes depuis les tout débuts, n'oblige qui que ce soit à participer à quoi que ce soit. Jamais Maryvonne et Eugène, un couple de Bretons venus vivre au Québec dans les années 1950, n'ont réclamé quoi que ce soit pour leur soutien indéfectible et bénévole. Partout, toujours, des gens qui participent de leur plein gré et que l'on encourage à cheminer selon leur rythme et leur compréhension.

Les activités

Bien que JRobert ait commencé par mettre au service d'individus et de groupes sa capacité à transmettre les messages des Cellules, son travail ne se limite pas à dormir pendant qu'Oasis répond aux questions, même s'il se plaît à comparer son travail à celui d'un conducteur de taxi.

Pendant près de vingt ans, il est incapable d'écouter les enregistrements des sessions ni même d'en lire les transcriptions. Pourtant, il ne cesse d'approfondir par lui-même ses compréhensions et de développer de nouvelles manières de nous faire comprendre notre seule vraie raison de vivre : notre continuité dans le monde parallèle après la vie physique. Ses recherches personnelles ont donné lieu à une série d'ateliers, de conférences et de week-ends de formation destinés à nous donner le goût de cette continuité et les moyens de la réaliser.

La démarche complète avec Oasis comprend quatre parcours successifs :

- – trois sessions suivies d'un week-end,
- – trois ateliers intitulés « Pas de plus »,
- – un week-end dit des anciens,
- – un voyage de groupe en France.

Il n'est pas obligatoire de terminer un parcours, sauf si l'on désire entreprendre le suivant.

Les sessions

Les sessions sont des transes pendant lesquelles les gens peuvent poser à Oasis toutes les questions qu'ils désirent, à condition qu'elles soient d'intérêt collectif et non de nature personnelle. Entre les sessions, on fait parvenir aux participants une transcription grâce à laquelle ils peuvent approfondir les messages reçus et préparer leurs questions pour la session suivante. Le week-end qui couronne les sessions est conçu pour que chacun puisse prendre contact avec la réalité de son Âme et la percevoir.

Comme aucune publicité n'est faite pour les activités de JRobert, quelles qu'elles soient, les gens s'inscrivent aux sessions après avoir entendu parler d'Oasis par quelqu'un de leur entourage ou après avoir lu les livres et contacté la maison d'édition.

Les sessions sont précédées d'une rencontre où JRobert parle de son itinéraire personnel, de lui-même et de son travail de channeling. Élisabeth, une femme d'une grande expérience en milieu scolaire et membre de l'équipe d'Oasis, anime ensuite la soirée de manière à ce qu'au terme de cette première rencontre, le groupe se donne un nom représentatif de sa recherche intérieure ou de sa personnalité.

Les ateliers

Les ateliers animés par JRobert comprennent des explications, des démonstrations et des exercices pour apprendre à se prendre en main, à se protéger des influences extérieures, à se reconnaître et à se reprogrammer. Résultat de recherches nombreuses, les ateliers sont fondés sur des connaissances relevant de la psychologie, de la neurolinguistique et de l'électromagnétisme; ils incluent aussi des exercices de reprogrammation créés par JRobert. L'ensemble des ateliers forme une interprétation éclairante de la réalité humaine et une méthode de transformation originale basée sur la consultation de soi.

Les week-ends des anciens

Il est bien difficile de décrire les week-ends des anciens, dont le premier a eu lieu en mai 1994. Les approches inédites de JRobert, les perceptions développées, les ressentis qui y sont vécus et partagés sont aussi peu traduisibles que ne le sont les couleurs à un aveugle. Qu'il suffise de dire qu'ils conduisent à la perception et à l'utilisation de notre champ énergétique personnel dans ses liens avec les univers parallèles.

Les voyages de groupe

En 1993, guidé par Oasis, JRobert se sent de plus en plus attiré par la France. En Europe, la relation avec la mort est différente de celle qui est vécue en Amérique. En Amérique, l'oubli sert à exorciser le deuil, alors que les Européens entretiennent les sites funéraires de leurs proches et leur rendent régulièrement visite. Il est donc possible d'y rencontrer des Entités ayant complété leur cycle d'incarnations – donc qui ont fusionné l'énergie de leur Âme et de leur forme – et qui viennent voir les membres de leur famille dans l'espoir de leur faire percevoir leur présence et de les convaincre de la continuité de la vie après la mort.

C'est ainsi que JRobert est amené à contacter des personnages qui ont réussi leur continuité ; plusieurs ont été ou sont encore célèbres, mais la plupart ne sont pas nécessairement connus. Ces Entités fusionnées contribuent à lui faire vivre la dimension du parallèle et à lui faire comprendre comment s'y prendre pour nous montrer à réussir notre continuité à notre tour.

Il lui paraît bientôt indispensable de nous faire vivre le contact avec le monde parallèle pour nous le faire comprendre, car aucune parole n'arrive à rendre compte de cette réalité. À l'été 1995, il organise donc un premier voyage en France avec un petit groupe. Il constate l'efficacité de cette approche, mais aussi que certains se mettent à avoir peur de ne pas réussir leur continuité. Il choisit alors de concentrer tous ses efforts sur l'élaboration d'une réponse plus complète, plus rassurante et plus rapide. En 1998, JRobert expérimente et développe un système de concepts novateurs, pour ne pas dire révolutionnaires, qui illustrent pour la première fois les relations entre l'énergie du corps et le monde parallèle. Les résultats sont probants. Chaque été depuis 1998, il démontre et partage ces nouveautés lors d'autres voyages.

Le message
avant la personne

Signalons qu'Oasis a demandé que la photo du channel ne soit utilisée ni sur les livres ni dans la promotion. Cette demande fait écho à la règle qui a dirigé la vie et l'œuvre de JRobert: « Que ce soit les messages à travers moi et non moi à travers les messages ».

Peu d'hommes auront eu le courage de renoncer aux choses visibles pour se lancer aussi passionnément dans l'aventure de l'invisible sans jamais chercher de reconnaissance.

La collection Oasis

La collection Oasis comprend d'abord l'oeuvre des Cellules appelées Oasis : les *Entretiens avec Oasis*. Il s'agit d'une collection de tomes volumineux regroupant les réponses données par Oasis à des gens venus de partout, du Québec, du Canada, de la France, et comprenant un index cumulatif donnant accès aux milliers de sujets traités.

Vient ensuite l'oeuvre de JRobert qui constitue en quelque sorte l'interface pratique des messages d'Oasis. La *Méthode de consultation de soi-même* présente sous forme de guide le contenu des trois ateliers « Pas de plus ». Le livre *La seconde naissance, une raison de vivre* regroupe les concepts développés par le channel depuis 1998, les conférences données en préparation aux voyages de groupe en France et lors de ces voyages.

S'ajoutent enfin des cartes réunissant les pensées de JRobert. Elles permettent de faire résonner au quotidien des affirmations qui prennent graduellement place en nous et nous reprogramment vers plus de légèreté, plus de compréhension et plus de joie de vivre.

L'oeuvre d'Oasis

Les *Entretiens avec Oasis* sont formés uniquement des messages donnés par Oasis depuis 1989. La structure des tomes a été définie par les Cellules elles-mêmes lors d'une transe privée portant spécifiquement sur les publications. Leurs directives touchaient notamment l'organisation des quatre premiers tomes, la présence d'une session générale des groupes à la fin de chacun des tomes et l'ordre des sujets selon leur degré de sensibilité pour nos sociétés.

En juin 2000, Oasis a autorisé la publication en livres de poche des thèmes de cette version originale. Une fois achevée, cette série comprendra près de 80 titres.

L'oeuvre de JRobert

L'oeuvre de JRobert s'est construite petit à petit à partir d'une expérimentation systématique de concepts et d'exercices nouveaux avec des gens de toute provenance qui participent aux ateliers, aux week-ends des anciens et aux voyages de groupe.

Chaque fois, JRobert remettait aux participants des notes ou des livrets exposant les étapes de la démarche, les pensées et les exercices qu'il avait conçus. Les explications qu'il donnait aux divers groupes s'adaptaient toujours aux préoccupations et aux questions des participants. Toutes ces explications étaient notées ou enregistrées, si bien que les livres *Méthode de consultation de soi-même* et *La seconde naissance, une raison de vivre* constituent la somme originale de toutes les variations dans la manière qu'avait JRobert d'expliquer la matière et de tous les enrichissements qu'il a apportés à son approche au fil des années.

L'intuition

Savoir et bien comprendre sa mission, ainsi que le but réel de sa mission, c'est fort complexe et ne peut être développé que lors d'une session privée. Mais il y a tout de même deux moyens de base fort simples. Le premier serait de bien développer son intuition et d'y faire confiance. Au début, cela pourra provenir de l'influence directe de votre conscient. D'aucuns ne voudront pas l'écouter et se diront : « C'est le fruit de mon imagination, de ma conscience. » Si vous passez outre à ces pensées négatives, il y aura influence directe. Il peut aussi s'établir un dialogue ouvert, une entente et un pouvoir de communiquer ses questions directement. Vous pouvez aussi obtenir vos réponses par les rêves et l'intuition qui agissent chaque jour. Cela dépend du niveau d'acceptation. L'intuition est le chemin le plus direct pour un contact entre l'Âme et la forme. La majorité ont cette intuition mais craignent de l'utiliser. Certains pensent qu'ils doivent méditer et faire le vide en eux pour y parvenir. Sachez que vous êtes des êtres de matière et que votre forme consciente, la pensée, n'acceptera jamais que votre forme soit considérée comme un objet vide. Pourquoi vous comparer à des bouteilles ? Cependant, votre forme consciente acceptera qu'au début il y ait l'influence de l'imagination, pour parvenir ensuite par la pratique à accepter la dualité dans votre unicité. Imaginer l'intuition, c'est un début. Certains développeront et trouveront leur originalité en pratiquant cela. Il existe des méthodes que nous vous communiquerons lors de sessions futures. L'originalité est l'individualité. Il y a plusieurs méthodes simples, elles sont toutes basées sur la confiance en soi, la non-influence des autres, la non-visualisation de l'échec. Avec les siècles, cela a contribué à rendre plus complexe la réalité en vous, même la réalité de notre existence. Il y a aussi ceux qui se nomment maîtres dans le but de posséder quelque influence sur les autres; cela nous amuse. Chaque Âme est un Maître et il n'y a pas une seule personne qui ne soit pas son propre Maître. Si, pour certaines personnes, le concept de maître doit faire partie de leur compréhension étant donné leur existence actuelle, si elles veulent être maîtrisées par les autres, qu'elles leur donnent le nom qu'elles voudront ! La plus grande insulte qu'on puisse faire à son Âme est de nommer Maître l'Âme d'une personne autre que soi. Une personne peut capter par différents canaux une réalité et une vision différentes de celles des autres et se faire voir de façon originale. *(Les pèlerins, I, 27-01-1990)*

Vous semblez dire que les formes peuvent exercer des choix...

Cela a toujours été.

Par contre, vous avez mentionné que notre Âme en venant dans notre forme a un plan établi d'avance...

En règle générale, c'est exact.

Alors pour ma forme justement, ne trouvez-vous pas qu'il y a un paradoxe entre le fait que j'aie le choix et ce que mon Âme a choisi de faire réellement ?

C'est pour cela qu'il y a des gens qui ont tant de problèmes. Quand les gens peuvent s'entendre eux-mêmes, se faire confiance même au niveau de l'intuition – nous savons que cela en amuse quelques-uns – ils sont à l'écoute d'eux-mêmes. Et si vous êtes à l'écoute de vous-mêmes, vous êtes à l'écoute de votre Âme et, croyez-nous, l'Âme ne se gênera pas pour vous influencer lorsque vous serez au courant de cela. Et lorsque vous parvenez à l'écouter, vous allez dans la direction de votre mission de vie et non le contraire. Par contre, si vous utilisez votre pensée pour vous étouffer dans votre intuition : « Très bien, j'ai raisonné dans cette vie jusqu'à ce jour, j'ai réussi une bonne carrière, j'influencerai qui je voudrai », il y a de fortes chances pour que vous ne soyez pas influençable de l'intérieur, pour que vous traciez vous-même

votre vie en vous foutant de la réalité profonde, car vous aurez la conviction que
vous êtes la réalité profonde. Lorsqu'une
Âme choisit une forme, elle prévoit ce qui
devrait être fait selon la famille, le milieu,
mais il ne s'agira tout de même que de
probabilités qu'elle aura souhaitées. Si la
forme devient non influençable par l'Âme,
soit à cause de l'instruction, soit à cause des
influences extérieures de ceux qui l'entourent, cela causera un problème. Comment
voulez-vous qu'une Âme maîtrise une
forme qui se ferme elle-même à toute influence, qui utilise constamment le raisonnement et l'analyse ? Ce ne sera pas en parlant très fort que vous entendrez les autres
mais en écoutant seulement. Vous voulez
des Âmes qui puissent vous dire exacte-
ment ce que vous devez faire, alors il ne
faut pas chercher à influencer en pensant
mais en vous écoutant, uniquement en vous
écoutant. Est-ce que cela a bien éclairci
votre question ?

Oui.

Vous cherchez toujours ce qui est compliqué; nous ne parlons pas de vous uniquement. Dans votre mode de vie actuel, plus vous vivez de problèmes, plus vous cherchez de solutions et c'est comme une roue sans fin. Plus il y a de problèmes, plus vous pensez vite aux solutions. Vous en arrivez à vous dire : « J'ai la réponse à tout maintenant; plus il y aura de problèmes, plus j'aurai de solutions et si les problèmes se répètent, j'ai déjà les solutions. » Vos cerveaux raisonnent par eux-mêmes comme le veut votre société. Elle crée le moins d'habitudes possible et vous dicte ce qu'il vous faut faire. Cela deviendra tellement partie courante de vos vies, que vous n'aurez même plus besoin de penser, tout sera décidé d'avance. Prenez une personne qui se fait dire en très bas âge que l'intuition est la deuxième personne en elle, qu'elle peut lui faire confiance, que c'est la meilleure amie qu'elle n'aura jamais dans sa vie, même si elle ne peut la voir. Apprenez-lui à ressentir l'amour en elle, en lui disant : « Ce n'est pas uniquement ton amour, mais c'est l'amour de cette amie que tu ne vois pas. » Apprenez-lui très jeune à percevoir ses sensations et à vivre dans ce sens. Il sera normal pour cette personne de s'écouter, de se faire confiance, de s'influencer elle-même et de faire ce qui sera juste. Ce n'est pas le cas actuellement. Dès que vous voyez un enfant qui parle avec lui-même ou qui semble parler à quelqu'un d'autre que vous ne pouvez voir, vos premières réactions sont : « À qui parles-tu ? », ou encore : « Change de jeu, prends quelque chose pour t'amuser. » Vous vous dites que cet enfant s'ennuie plutôt que de lui demander de décrire la personne ou le lieu qu'il voit. Un jour, cela se fera mais pas actuellement.

Pourquoi vit-on cette réalité quand on est enfant ?

Parce que c'est nécessaire pour vous rappeler qu'un jour vous aurez à le revivre. Ce n'est pas tout le monde qui s'en souvient, mais il serait souhaitable que tous s'en rappellent. Lorsque vous êtes enfants, comme

vous dites, vous n'êtes pas encore influen-
cés par la société, par ceux qui se disent
adultes. Tout vous est simple. Lorsque
tout est simple, tout est possible, il n'y a pas
de limite à la simplicité. Par contre,
actuellement, même si un enfant disait à ses
parents ce qu'il a perçu, ils lui répon-
draient : « C'est ton imagination, ça n'existe
pas. » Déjà le doute s'insère et lorsque le
doute prend place à plusieurs reprises, il est
très difficile d'influencer en sens inverse.
Vous avez tous vécu cela étant jeune. Vous
vous rendrez compte aussi que plus vous
serez simples, plus vous reviendrez vers ces
visions. Ne les rejetez surtout pas ! C'est
pour cela que nous avons affirmé que l'outil
le plus important est l'imagination.
Croyez-y. Ne rejetez pas le fait de
percevoir ce qui est à l'extérieur de votre
dimension. Au contraire, construisez cette
imagination et vivez-la; c'est valable. Le
groupe qui vous précédait a demandé s'il
est possible qu'avec l'imagination on puisse
créer des Entités à un point tel qu'elles
soient non seulement très visibles et per-

ceptibles, mais qu'elles puissent avoir l'air
réel. C'est un fait et c'est en ce sens que
l'imagination est puissante. Certaines personnes imaginent des êtres qui créent le
mal contre les autres et s'en servent très
bien. Heureusement que ce n'est pas la
majorité ! Il y en a beaucoup plus qui
utilisent l'amour et qui peuvent le créer.
(Les pèlerins, II, 24-03-1990)

*omment reconnaître notre intuition
et la suivre ?*

Lorsque vous vous faites confiance, lorsque
vous entendez en vous des conseils et que
cela résonne en vous comme ayant du sens,
comme ayant une portée intérieure.
Lorsque vous savez, uniquement par sensa-
tion, par sentiment, qu'une chose est bonne
pour vous, c'est donc que c'est bon. Mais si
vous savez que c'est bon et que vous avez
du doute, vous développerez vos autres
intuitions sur le même schéma : c'est bon
mais j'en doute, c'est bon mais j'en doute,
jusqu'à ce qu'un jour vous compreniez que

vous êtes un être intelligent, équilibré et complet, que l'intuition est le message de l'Âme et non du cerveau, qui n'est en fait que le lien.　Alors vous apprenez à vous faire confiance.　Vos vies vous donnent tellement d'exemples que vous ne les voyez plus la plupart du temps.　Ou bien vous vous en rendez compte et vous vous dites : « J'aurais donc dû, je le savais. »　Ou bien vous vous dites : « Si j'avais su », comme si vous ne le saviez pas !... pour vous empêcher d'avoir du remords.　Dire « si j'avais su » sert à ne pas vous dire « je le savais, et j'aurais dû faire à ma tête, ça aurait été mieux. »　Plus vous accumulerez d'exemples en ce sens, plus vous vous ferez confiance. Moins vous vous ferez confiance et plus les exemples deviendront frappants et, si vous refusez toujours de les voir, il y aura des événements plus douloureux pour vous rappeler à l'ordre. Votre conscient peut très bien se charger de cela. Il y en a qui ont compris ici. Ce qui est important dans tout cela, c'est que les questions que vous posez lorsque vous faites partie d'un groupe, le

sont pour l'ensemble, pas seulement pour vous-mêmes. Vous ne saurez jamais la portée des mots, et c'est très important.
(Les colombes, I, 02–06–1990)

Vous avez dit qu'il ne fallait pas de Maîtres. Je ne saisis pas bien la notion de Maître; pouvez-vous l'expliquer s'il vous plaît ?

Certaines personnes vont dans des sectes. Elles se fient à des gens qui ont des idées bien arrêtées et qui leur disent : « Faites ceci, faites cela à mon image et vous comprendrez la vie. » Ces gens en viennent à développer des schémas de vie. Les religions font cela. Il y a des Maîtres dans chaque religion pour encourager, pour donner l'image. Il faut comprendre que ces individus ont eu des expériences passées qui sont les leurs, pas les vôtres. De chercher l'exemple à l'extérieur de vous fera en sorte de vous éloigner de votre propre réalité, alors que de prendre contact avec vous-mêmes, même avec votre Âme, ce sera pour vous. Vous pouvez observer l'expérience de ceux que vous appelez des Maîtres, mais vous êtes déjà des Maîtres ! parfois dans l'oubli, parfois dans l'ignorance de la cause, mais dans les faits vous êtes déjà des Maîtres. Le fait de l'accepter fait de vous un Maître. Si vous le refusez, vous allez vers l'extérieur pour considérer comme des Maîtres ces gens qui, bien souvent, ne vivent plus actuellement. C'est vous refuser votre réalité, votre existence propre, ce que vous êtes réellement venus faire dans ce monde. Il ne faut pas vivre la vie des autres, mais la vôtre. *(Les colombes, I, 02-06-1990)*

I l y a plusieurs Maîtres présentement qui ont mis sur pied des cours, des ateliers pour aider les gens à cheminer spirituellement...

C'est qu'ils ne sont pas des Maîtres. C'est qu'ils sont irréels. Continuez cette question, vous comprendrez mieux notre réponse.

Ils se disent tous guidés par des êtres de lumière. J'en ai connu un qui disait que, pour amener des gens à un bon cheminement spirituel, il fallait absolument faire un jeûne et qu'il faut jeûner régulièrement. Or ce n'est pas nécessairement bon pour certaines personnes. Comment les êtres de lumière peuvent-ils conseiller ces personnes tout en sachant qu'ils nuisent à la forme ou au cheminement des Âmes ?

Il y a des nuances à faire. Voyez-vous, les gens qui conseillent le jeûne ont obtenu des résultats pour eux-mêmes en jeûnant. Donc ils communiquent ces connaissances-là. Croyez-nous bien, en ce qui nous concerne, nous n'utilisons pas de nourriture et nous ne voyons pas très bien comment nous pourrions vous suggérer de ne pas nourrir votre forme, de la rendre un peu plus agressive pour être plus ouverte. Si vous ne soignez pas vos formes, elles vous rappellent à l'ordre car vous êtes dans un monde matériel. En effet, vos Âmes sont dans des formes matérielles et tout ce qui

vous entoure l'est, donc tout doit s'équili-
brer, tout doit être en harmonie. Vous
priver de nourriture peut être perçu comme
une punition. Punir votre forme parce que
vous ne pouvez atteindre consciemment un
état... Certaines personnes se flagellent,
d'autres marchent sur des clous. Le jeûne
est une forme de punition. Bien sûr, selon
ce que nous avons observé, vos formes peuvent se passer de nourriture pour une période plus ou moins longue, mais pas d'eau.
À quoi cela vous servirait-il ? Nettoyer
votre organisme pour le repolluer ! Ne
vaut-il pas mieux maintenir l'équilibre,
avoir une forme satisfaite qui vous laisse
plus libre ? Vous savez, il y a des maîtres
pâtissiers, des maîtres plongeurs, des
maîtres en loi, des maîtres d'école...
voulez-vous que nous continuions la liste ?
Il y en a plusieurs types. Alors les maîtres
spirituels sont de même statut que le maître
pâtissier ! Leur enseignement dépendra de
l'expérience qu'ils auront et de ce qu'ils
voudront retransmettre. En règle générale,
punir vos formes ne sera jamais la solution

idéale, ni faire le vide d'ailleurs. Il faut
l'équilibre, la juste mesure, pas l'excès. Il y
en a qui se diront spécialistes plutôt que
maîtres. Ils n'apporteront pas les mêmes
connaissances mais cela aura la même
valeur. Nous avons toujours dit par le passé
que le seul Maître qui existait était en vous.
Si vous cherchez à l'extérieur de vous, vous
chercherez longtemps parce qu'il y a trop
de sortes de Maîtres, plus ou moins acces-
sibles, qui vous fourniront mille occasions
de douter : que ferez-vous ensuite ? Vous
irez voir un autre « Maître » ayant d'autres
valeurs, et vous comparerez. Vous aurez
des habitudes, des doutes, des méthodes
inutiles; vous accumulerez plusieurs connaissances intéressantes sans avoir de vécu.
Donc, si vous voulez vous prouver qu'en
vous privant de nourriture vous obtiendrez
un résultat, il y aura rébellion dans vos
formes, rejet. Il est beaucoup plus facile
d'obtenir ce que vous voulez en n'y mettant
pas de pression, en n'utilisant pas la force,
mais en sachant ce que vous voulez réellement. Personne ici n'accepterait de faire

des changements par la force, vos formes
non plus.   Nous vous avons dit que
vos formes étaient intelligentes.   Vous
n'en êtes pas conscients, mais elles le
sont. Chacune des cellules, rappelez-vous,
est individuelle. À cela, nous avons ajouté
que les cellules pouvaient attraper des maladies sans être en contact, par simple
présence. Comprenez-vous mieux la chaîne
que vous représentez ?

Oui.

Ou avez-vous une recette pour nous, pour
vos formes ?   Avez-vous une sous-question
à cela ?

Pas concernant les Maîtres. (Les colombes, IV,
08-09-1990)

*Ya-t-il des façons d'améliorer la
capacité de visualiser ?*

L'imagination.   La visualisation prendra
force lorsque vous aurez plus confiance,

lorsque vous aurez des résultats. Cela vous encouragera à recommencer et à faire encore mieux. Si vous parlez de votre cas personnel, nous pouvons vous dire que vous allez sauter des étapes très bientôt et que cela se réalisera. La première chose dont vous vous rendrez compte, c'est que votre intuition aura doublé et que vous aurez très rapidement des réponses à vos questions. Ce sera très bientôt pour vous. *(Alpha et omega, III, 18–08–1990)*

Lorsque je contacte mon Âme par la prière ou par la méditation, comment puis-je être certaine que c'est mon Âme et non un guide ou une Entité qui vient ?

Parce que l'Âme ne donnerait accès à aucune d'entre elles. Lorsqu'une Âme prend une forme, elle y tient. En règle générale, même si vous vouliez communiquer à l'extérieur de vous avec d'autres Entités, cela ne vous serait pas permis non plus. Votre Âme couperait l'accès et il

ne vous resterait que l'imagination.
Cependant, votre Âme pourrait même vous
laissez croire que cela provient de l'extérieur pourvu qu'il y ait contact. Vous
savez, il vous est toujours plus facile de
croire que l'aide peut parvenir de l'extérieur. Si cela peut servir votre Âme de
vous laisser croire cela, elle vous laissera
faire cela; de toute façon, le résultat sera le
même. Mais c'est votre imagination qui
vous laissera croire cela; ce ne sera pas la
réalité. Lorsque le contact sera fait, si vous
désirez toujours contacter d'autres Entités
et que c'est un souhait conscient, ce pourra
être fait. Mais vous devrez avoir des buts
pour cela, pas seulement la curiosité.
N'oubliez pas, vos Âmes sont aussi des
Cellules; elles nous rejoindront tout de
même.

*J'ai une sous-question à cela : est-ce que le
mot Ewing vous dit quelque chose?*

Qu'est que cela signifie pour vous ?

*C'est un guide que j'ai rencontré dernière-
ment à Boston et qui m'a beaucoup apporté.*

Vous ne préféreriez pas mentionner une
autre personne ?

Barbara. Quelle est votre opinion ?

Une personne qui n'est pas encore trop au
courant de ses forces mais qui, tout de
même, de façon fort intuitive, reçoit de très
belles communications. Elle pourrait très
bien canaliser tout cela de façon plus posi-
tive. Soyez prudente avec les termes;
lorsque vous employez le mot guide, la
majorité des gens pensent que c'est à l'extérieur d'eux. Nous nous sommes toujours
objectées aux termes que certaines personnes emploient, tel Maître ou guide,
parce que cela vous enlève vos propres
forces, cela vous dirige trop vers l'extérieur.
Vos vies sont beaucoup plus simples que
cela. Nous sommes toujours surprises de
constater comme vous vous la rendez

complexe. Comme si les problèmes étaient une demande.

Croyez-vous que l'enseignement de Barbara soit complémentaire ou parallèle au vôtre ?

Dans un sens, c'est la même chose à la base, mais le but n'est pas le même. Ce que nous vous avons dit pourrait être lu dans certains livres, pas l'ensemble, bien sûr, mais certaines parties. Mot pour mot, vous retrouverez des similitudes, mais notre but n'est pas le même. Nous ne sommes pas ici pour emprunter vos termes et vous en bourrer le crâne, mot après mot. Si vous saviez à quel point il nous est difficile de simplifier tout cela, de vous simplifier la vie aussi ! Vous ne pourriez l'imaginer. Il nous a fallu trouver une forme simple pour cela. Mais notre but est le vécu. Nous voulons vous faire prendre contact, nous faisons tout pour cela. Et ce n'est pas avec des termes complexes que vous réussirez à le faire. Mais il faut abaisser votre niveau de conscience

encore. Ne cherchez pas tant, vous cherchez tous trop. Qu'arrive-t-il lorsque vous
cherchez trop ? Vous ne trouvez pas.
Lorsque vous laissez aller, par contre, tout
prend forme, vous avez de meilleures intuitions, tout prend sa place. C'est la même
chose chez ceux qui ont été les plus grands
inventeurs : ce n'est pas en cherchant mais
en se laissant aller, bien souvent en pensant à
autre chose, que leurs idées sont venues. Ce
sont des exemples aussi. Un conseil pour
vous : ne cherchez plus à l'extérieur comme
cela; vous faites trop d'efforts. Le Maître que
vous cherchez, vous l'avez en vous, sauf que
vous cherchez tellement à l'extérieur, que
votre Âme attend que vous soyez fatiguée
pour s'ouvrir. Vous ne comprendrez pas plus
avec des mots. Elle vous le fera vivre, c'est
beaucoup plus important que des mots.

*Est-ce que la façon dont je vous perçois en
ce moment est exacte ?*

Presque. Vous savez, il ne faut pas chercher
des exemples avec cela. Lorsque vous

percevez et que vous sentez que c'est bon
pour vous, que cela vous rend dans un état
de calme, de paix intérieure, c'est que vous
avez contacté notre énergie. Si cela vous
énerve, c'est que votre conscient fait un
blocage de façon volontaire parce qu'il n'a
pas encore éclairci plusieurs points. Nous
ne sommes pas si difficiles que cela à
percevoir, pas pour vos formes; il faut un
peu d'habitude seulement. C'était une très
bonne question. *(Alpha et omega, III,
18–08–1990)*

*Comment percevoir les obstacles qui
sont mis sur notre chemin dans nos
vies pour nous empêcher d'accomplir certains projets, et ceux qui sont mis en place
par l'Âme comme autant de façons de pro-
gresser ou de se dépasser ? Comment
percevoir la différence entre les deux ?*

Il y a deux façons de voir les obstacles.
Certains d'entre vous croiront qu'il s'agit du
karma, ce qui n'existe pas, bien sûr. Sous
diverses appellations, ils voudront croire

que, lorsque quelque chose de fatal ou de douloureux leur arrive, c'est à cause de leur passé, parce qu'ils doivent comprendre. Laissez-nous vous rassurer, aucune Âme n'est assez stupide pour se nuire à elle-même, encore moins pour punir une forme qui ne sait pas pourquoi et qui n'a rien à voir dans cela. Elle ne fera pas non plus en sorte de vous rendre malades pour que vous l'écoutiez. Vous vous rendez malades vous-mêmes ! Qu'elle fasse en sorte que vous perdiez quelqu'un que vous aimez ? Et si vous faisiez le contraire, que vous rejetiez tout ? Nous le répétons, elles sont comme vous, pas différentes de vous. Elles ne sont pas là pour votre mal mais pour votre bien. Grâce à leur influence, elles pourraient mettre des gens sur votre route, mais pas pour vous nuire. Vous associez tellement peu souvent « problème » à « chance de comprendre et d'avancer ». Plutôt que de vous plaindre de vos pro-blèmes, regardez plutôt ce que vous pouvez en retirer. Ainsi, vos problèmes seront plus vite oubliés et vous irez plus loin. Il est trop facile de dire que c'est la faute de l'Âme quand cela ne fonctionne pas. Pour que ce soit le cas, il faudrait que vous puissiez l'entendre et, si vous pouviez l'entendre, vous n'auriez pas de mésaventure. *(Maat, II, 01-12-1990)*

J'aimerais que vous expliquiez quelle différence il y a entre l'intuition et l'impulsion ?

Une impulsion est faite au niveau conscient. C'est un niveau de vos cerveaux qui vous permet d'agir, bien souvent à l'instar de la volonté elle-même. Donc, l'impulsion vous fait bien souvent poser des gestes que vous regrettez. Une intuition par contre, et ce dans plus de 90 % des cas, provient directement de l'Âme. C'est également vrai du rêve et de l'intuition. Si vous développez l'intuition, vous la ressentirez comme étant bonne pour vous. À moins d'être idiots, vous savez toujours ce qui est bon pour vous. Pourquoi ? Parce que vous le ressentez. Vous savez que c'est bon à condition de ne pas l'analyser, sinon vous vous remettez toujours en question, vous doutez de vous-même et vous allez chercher des aides à l'extérieur. L'Âme se fatigue comme vous. Avez-vous déjà essayé de parler à un mur ?

Des fois.

Vous a-t-il répondu ?

Non.

Votre Âme n'est pas plus folle. Lorsqu'elle vous parle et que vous n'écoutez pas, que ce soit dans les rêves, ce qui est la base, ou dans l'intuition, ce qui est un cadeau, vous feriez comme elle. Vous vous fatigueriez et vous attendriez que quelque chose vous arrive pour qu'elle ait encore une fois la chance de vous expliquer. Beaucoup trouvent ces raisons dans la maladie d'ailleurs. Si vous voulez savoir comment votre Âme pense, regardez-vous dans un miroir. Si vos intuitions vous paraissent bonnes et si, en plus, vous les mettez en oeuvre, elles se réalisent.

C'est donc que c'était une intuition de l'Âme, un message ou un cadeau d'elle. Tout dépend de la façon dont vous voudrez le prendre. Plus vous développerez votre capacité à reconnaître vos intuitions et à les mettre en action, plus vous recevrez. Dans certaines traditions, les gens pleurent face à un mur; ils content tous leurs péchés et tous leurs malheurs au mur, et pleurent, pleurent... Certains s'y cognent même la tête. Entre vous et nous, qu'obtiennent-ils ? Un autre rendez-vous pour pleurer devant le mur un peu plus tard. Tentez donc de dire à un mur que vous aimez votre soeur et que vous n'arrivez pas à le lui dire. Nous serions bien surprises si le mur consolait votre soeur. Ces gens pleurent depuis plus de 3000 ans devant le même mur... de quoi entretenir un jardin d'ailleurs ! *(Maat, II, 01-12-1990)*

Notre Âme devrait nous donner des mots de passe pour nous aider à reconnaître que c'est une intuition dans les premiers temps, comme deux pas en avant ou deux pas en arrière.

Vous-même, vous faites cela.

Je le sais.

Vous le savez ! Mais ce que vous ne savez
pas, c'est d'où cela provient; lorsque vous
faites un mouvement, il est tracé d'avance
par votre pensée. L'intuition, ce n'est pas
cela. Vous ne pouvez jamais la forcer. Vous
voulez   augmenter   votre   intuition ?
Demandez-le-*vous*. Au moins, votre Âme
le saura, cela renforcera son désir d'aller
vers vous et lui donnera confiance. Le premier pas, ce n'est pas elle mais vous qui
allez le faire parce que, si c'était le contraire, vous n'auriez pas posé cette question. Il y en a plusieurs ici qui ont déjà fait
ce premier pas, dont le contact est déjà très
bien établi, mais qui n'ont pas encore bien
compris comment l'utiliser maintenant. Si
vous avez une voiture, si belle soit-elle,
même en ayant la clé, que ferez-vous si
vous ne savez pas conduire ? Vous allez
suivre un cours, n'est-ce pas ? C'est la
même chose ici, ce soir. Pour le faire, il faut

laisser tomber plusieurs barrières. Plusieurs d'entre vous sont encore accrochés à leur religion, croyant que cela les sauvera. Nous avons des surprises pour vous : si vous continuez de prier face à un mur, ce ne sera pas entendu. Vous savez pourquoi maintenant ? Parce que vous priez à l'extérieur de vous, alors que c'est *vous* qu'il vous faut prier pour que cela arrive. Vos prières vous ont été très mal enseignées. *(Maat, II, 01–12–1990)*

Pourquoi a-t-on l'intuition par moment et, par moment, on ne l'a pas ?

Prenons l'exemple des enfants. Lorsqu'ils font tout ce qu'il faut pour vous rendre heureuse, que faites-vous ? Vous les récompensez, n'est-ce pas ? Vous faites tous cela. Votre Âme fait la même chose. Faites un pas vers elle et elle vous donnera. Oubliez-la, cherchez à en finir, croyez-nous, l'intuition se fera attendre longtemps. Avez-vous oublié notre règle ? Donnant, donnant. Si

c'est valable dans votre dimension, c'est
valable aussi dans la nôtre.   Quand vous
donnez aux autres, n'attendez rien en
retour, et cela vous sera rendu.   Ce que
vous donnerez à votre Âme comme attention, comme vous le faites ce soir, croyez-
nous, elle vous le rendra.   Nous travaillons
sur elle, et pas juste nous quatre; il y a
d'autres Cellules ce soir, un peu moins de
125 000 d'ailleurs. Elles sont très peu nombreuses ce soir. Nous ne voudrions pas que
Mark flotte dans la pièce surtout, car il
pourrait y prendre goût ! Nous le disons
avec amour, bien sûr, et humour. *(Maat, II,
01–12–1990)*

*Dans chaque vie, il y a un temps où
on doit grandir, où les règles
doivent être dites, où les ailes doivent être
essayées. Alors, on rejoint ses rêves, on
ouvre ses ailes et on vole.*

C'est aussi le but de ces sessions de bien
vous faire prendre conscience de ce que
vous êtes, pas de faire de vous des génies,

pas de vous donner des mots, vous en avez plein vos livres. Nous voulons vous faire comprendre que les livres ne sont que des excuses, en fait. Ils ne sont que des excuses pour camoufler ces connaissances qui sont déjà *en vous*. Vous les utilisez pour vous convaincre, pour vous donner le savoir; mais vous savez tous dans le fond que, lorsque vous aimez, lorsque vous comprenez l'amour, vous avez toujours les réponses en vous. *(Maat, III, 13–01–1991)*

omment fait-on pour savoir si notre Âme nous parle ?

Nous avons déjà répondu à cette question à plusieurs reprises. Vous nous avez dit savoir connaître la différence entre le bien et le mal. Donc, vous savez ressentir ce qui est bien en vous. C'est un état d'être complet. C'est la même chose lorsque vous êtes très heureux, vous le ressentez, n'est-ce pas ?

Je ne sais pas.

Vous ne savez pas comment être heureux ?
Vous êtes toujours malheureux ?

Non.

Donc, vous êtes heureux.

Quelquefois.

Vous savez comment vous êtes lorsque
vous êtes heureux ?

Oui.

C'est ce que nous venons de vous dire.
Lorsque vous êtes heureux, vous savez
comment vous êtes, vous êtes bien ?

En quelque sorte.

C'est comme « peut-être ».

Oui.

Ce n'est pas « en quelque sorte », mais ce
n'est pas non. Donc, c'est oui.

Je ne vous suis plus.

Nous non plus. Nous voulons juste vous montrer à quel point vous vous perdez dans vos idées. Vous n'êtes pas concentré. Ce que nous venons de vous dire et ce que nous vous avons fait dire à deux reprises sans que vous en soyez conscient, c'est qu'il vous est déjà arrivé d'être heureux, n'est-ce pas ?

Oui.

Lorsque vous étiez heureux, comment vous sentiez-vous dans votre forme ?

Bien.

Donc, vous ne pleuriez pas, vous étiez bien. Et les fois que vous avez été en colère, pas toutes les fois mais quelques-unes, comment vous sentiez-vous ?

En colère.

Donc, vous étiez mal ?

Oui.

Et toute votre forme était mal au point de serrer les poings, au point de vouloir tout casser, n'est-ce pas ?

Oui.

Donc, vous savez faire la différence entre lorsque vous êtes bien et lorsque vous n'êtes pas bien.

Oui.

Donc, reformulez votre question.

Comment faire pour savoir si notre Âme nous parle ?

Et nous avons dit quoi ? De la même façon que vous savez si vous êtes bien ou si vous

n'êtes pas bien. Lorsqu'elle vous dit quoi
faire, que ce soit par l'intuition ou le rêve,
peu importe, si vous vous sentez bien, ne
vous posez pas de questions, c'est correct.
Par contre, si vous analysez ce qui vient de
vous, vous ne cherchez pas à savoir si c'est
vrai ou pas. C'est toute votre forme qui
vibre, qui est bien, qui est rassurée. C'est
cela la différence. *(Les flammes éternelles, III,
11-05-1991)*

*omment faire pour développer son
intuition ?*

Tous, vous avez de l'intuition. C'est le niveau
de confiance qui fait toute la différence.
Combien de fois ne vous est-il pas arrivé de
ne pas vous fier à votre intuition et de vous
dire ensuite : « J'aurais donc dû » ? Chacun
ici a vécu cette expérience. Lorsque cela se
produit dans vos formes des dizaines et des
dizaines de fois, le manque de confiance s'installe. Et lorsque le manque de confiance
s'installe, même si vous avez une intuition
très forte, comme si vous étiez poussés à faire

quelque chose, vous ne le faites pas. Autrement dit, il faut vous écouter un peu plus parce que plus vous vous écouterez dans vos intuitions, plus vous verrez qu'elles sont ajustées, qu'elles ne viennent pas de l'imagination. Pour développer l'intuition, outre la confiance en soi, il faut développer le goût du risque, le goût d'aller de l'avant, le goût aussi d'aller dans une autre dimension qui est en vous, de faire un autre pas dans votre vie. Nous savons qu'il y a plusieurs méthodes pour cela mais nous allons vous donner, tout au long de ces sessions, des exemples de vécu. Ainsi, quand une réponse entrera en vous, vous allez la percevoir comme étant du vécu. Pourquoi ? Parce qu'il y aura des exemples qui proviendront de vos vies passées et que vous les comprendrez fort bien, à tous les niveaux. De notre côté, lorsqu'il y a un groupe, nous n'ignorons aucune personne présente; nous avons déjà fait le tour de chacun d'entre vous. Nous ne sommes pas ici pour vous nuire, mais pour vous faire faire un pas de plus. Nous espérons ces pas énormes du moins. *(Harmonie, I, 17–11–1990)*

Comment réagir au fait d'assurer supposément notre avenir avec les connaissances qu'on se fait tous imposer ?

Ce n'est pas tellement comment vous devez réagir qui importe, mais de savoir dans quel état vous serez pour réagir. Autrement dit, si vous appliquez les connaissances nouvelles que vous venez d'acquérir, vous pourrez penser de façon réfléchie pour vous et non pas pour les autres. Donc, c'est pour vous que vous agirez et c'est là que vous avancerez. Si vous lisez bien entre les lignes, vous aurez des réponses d'un niveau fort différent de votre conscient. Pour ce faire, il faudra briser le conscient justement pour qu'il soit conscient. Quel beau jeu de mots !

Je parlais des connaissances que nous recevons à l'école, que doit-on faire avec ces connaissances ?

Que faites-vous de votre intuition en cela ?

*Elles ne laissent pas tellement de place à
l'intuition.*

N'est-ce pas ? Donc, vous êtes comme ces
ordinateurs, vous accumulez des données et
lorsque vous les avez toutes, vous les
appliquez. Celles-ci vous permettent de
gagner des sous, de vous bâtir une carrière
et vous courez après cela toute votre vie.
Comprenez-vous un peu mieux ?

Oui...

Ce n'est pas un oui bien convaincu. Vous
relirez le texte de cette réponse, sinon vous
nous reposerez cette question à l'autre session, de façon différente.   *(Harmonie, II,
08–12–1990)*

Comment la forme sait-elle qu'elle
parle à son Âme ?

Écoutez-vous toujours vos intuitions ?

Non.

Donc, vous ne saurez jamais à quel point votre Âme vous parle. Il y a aussi beaucoup plus que cela. Il y a aussi la façon de demander, la façon de reconnaître ce que votre Âme vous donne réellement. Nous vous l'avons dit déjà, l'Âme est aussi un outil pour votre forme et doit être perçue comme un outil pour que vous puissiez l'utiliser afin qu'elle-même vous utilise. Cela fait partie de l'unité que vous êtes. *(Harmonie, III, 09-01-1991)*

J'aimerais revenir au sujet des maîtres. Est-ce que cela veut dire que ce n'est plus nécessaire de suivre des cours et qu'on ne devrait fonctionner que par intuition ?

Toute votre vie vous avez suivi des cours. Dès la première journée où vous avez appris à marcher, où ceux qui vous entouraient ont compris que vous appreniez, vous avez commencé à apprendre. Puis, lorsque vous étiez désespérés, vous tous, vous cherchiez des solutions

extérieures, de l'aide pour survivre. Donc,
vous avez toujours appris. Lorsque nous
vous disons que les Âmes ont perdu le contrôle, c'est simple : elles font tout ce qu'elles
peuvent et cela ne semble plus suffisant
actuellement. *(Harmonie, II, 08–12–1990)*

*Tout à l'heure, vous m'avez
demandé si j'écoutais mes intuitions. Est-ce que je dois comprendre que, si
j'écoute mes intuitions, c'est mon Âme qui
me parle ou c'est moi qui parle à mon Âme ?*

Vous lui répondez, et elle vous parle. Vous
lui répondez lorsque vous vous écoutez et
vous faites selon ce qu'elle veut bien vous
dire et cela vous porte à avoir plus confiance en vous. Mais il arrive aussi que, pour
ne pas perdre la maîtrise, le conscient joue
aussi ce jeu. Vous ressentirez la différence
très facilement. Lorsqu'un conseil vous
parviendra intuitivement et que vous ressentirez en vous que c'est juste pour vous, que
c'est bon pour vous, n'en doutez pas.
Cependant, lorsque vous aurez un de ces

conseils et que vous douterez, demandez-
vous plutôt si ce n'est pas seulement le conscient qui s'amuse. Vous apprendrez très
vite à faire la différence. Vous percevrez les
messages de votre Âme très rapidement,
comme du vécu, comme quelque chose qui
vous touche et vous serez portés à vous
écouter plus souvent, sans avoir besoin de
raisonner... intuitivement, dirions-nous. Y
a-t-il une sous-question à cela ?

*À ce moment-là, c'est réciproque, c'est-à-
dire que l'Âme parle à la forme et que la
forme parle à l'Âme.*

La forme parle à l'Âme en écoutant ce
qu'elle dit. Lorsque vous serez familiarisé
avec tout cela, vous pourrez en faire autant.
Rappelez-vous bien cependant que l'Âme
ne comprendra pas les mots mais qu'elle
comprendra les images. Votre cerveau
comprend les mots, pas l'Âme. C'est
pourquoi lorsque vous aurez une intuition,
vous visualiserez ce que vous devrez faire,
vous n'aurez pas seulement des mots. Pour

sa part, le conscient ne vous donnera que des mots parce qu'il analyse les mots, pas les images. C'est ce qui explique aussi l'existence des voyants, comme vous les appelez. Les voyants voient les faits mêmes, mais pas les mots pour expliquer les faits. La clairvoyance est du même ordre. Nous avons mentionné dans le passé que, si vous vouliez communiquer avec nous, vous n'aviez qu'à imaginer notre emblème si vous ne pouvez pas encore percevoir ce que nous sommes au niveau de l'énergie de la forme; vous n'avez qu'à imaginer, à visualiser cette image, car nous comprenons cette association avec nous et nous l'entendons. Oh, direz-vous, vous êtes quatre; qu'arriverait-il si 200 personnes visualisaient simultanément votre emblème ? Ne vous en faites surtout pas pour cela, car en fait nous ne faisons qu'un, donc vous aurez tout de même ce que vous aurez demandé. Faites l'essai, vous verrez... Il y a des Cellules qui veulent participer à cette discussion, ce ne sera pas très long... Voilà, elles ont pris place. *(Harmonie, III, 09-01-1991)*

Vous avez dit que les trois quarts des touchers qu'on sentait sans qu'il n'y ait personne provenaient de notre Âme, mais l'autre quart, c'est quoi ?

L'imagination. N'avez-vous pas tous, très jeunes, imaginé que les poupées ou encore que les soldats de plastique que vous aviez vivaient ? Vous avez inventé des histoires avec eux, comme s'ils vivaient avec vous. Donc, vous avez imaginé. Vos poupées ne vivaient pas mais vous faisiez des projections de ce que vous aviez vécu dans le passé. Vous avez vécu dans la guerre ? Vous jouerez donc avec des soldats et vous aimerez cela. C'est ce qui forme vos goûts lorsque vous êtes jeunes. *(Les flammes éternelles, I, 24–11–1990)*

Comment savoir si c'est notre intuition ou notre imagination qui se manifeste ?

Nous avons déjà répondu que l'intuition provenait de l'Âme. Le mental, par contre,

peut vous jouer des tours. Il n'y a qu'une façon de les discerner. Lorsque vous aurez une intuition, vous ne vous poserez pas de questions, vous saurez que c'est bon, vous vivrez. Une intuition, cela se vit, cela se ressent. Mais lorsque vous aurez une pensée de façon mentale, consciente, même si cela semble un truc du cerveau pour vous faire croire que c'est une intuition, vous allez analyser, vous ne ressentirez rien en vous. Une intuition est très subite, très rapide; elle ne suscitera même pas de doute dans votre tête parce que vous savez que c'est bon. Si vous analysez et que vous ne ressentez rien, ce n'est pas une intuition.
(Les flammes éternelles, III, 11–05–1991)

*C*omment *pouvons-nous faire pour reconnaître la différence entre l'intuition et le produit de notre imagination ?*

Le produit de votre imagination ne vous donnera jamais d'émotions, ne vous donnera jamais de sentiments, alors que votre intuition passera d'abord par un sentiment ou une émotion, puis par la visualisation de ce qu'il faut faire. En d'autres termes, lorsque votre cerveau vous dicte quelque chose, c'est une réponse immédiate qui vous donne le choix de l'analyse. Quand c'est une intuition, c'est très rapide, mais ce seront vos émotions et vos sentiments qui joueront en premier, puis vous saurez déjà quoi faire. C'est pour cela que vous vous en voulez lorsque vous ne suivez pas votre intuition, que vous vous dites une fois que c'est fait : « J'aurais donc dû », et que vous avez même du regret. L'intuition, ça se vit; une pensée du cerveau, ça s'analyse. C'est pourquoi tant de personnes font des erreurs. Les plus grands dirigeants de ce monde et les plus grands dirigeants de compagnies sont des gens qui ont déjà compris cela; ils se fient à leur intuition totalement. Ils peuvent faire des erreurs – il arrive à tout le monde de ne pas être en grande forme – mais ils sont suivis des autres parce qu'ils font ce que les autres ne veulent pas et ne croient pas pouvoir faire.

C'est ce qui fait que ces gens foncent, comme vous dites. Ils osent, pas seulement en pensée, ils agissent; ils ressentent ce qui est bon et le font, ils développent une foi en eux-mêmes. Lors de discussions, peu importe avec qui, qu'arrive-t-il lorsque vous avez l'intuition de ce qu'il faut répondre et que vous vous refusez de répondre ? Il se passe un désappointement en vous. Trop de fois vous vous êtes tous dit : « J'aurais donc dû le dire; maintenant il est trop tard. » Puis, d'une fois à l'autre, vous apprenez à vous taire, à avoir peur de dire ce qui ne va pas et ce qui va; vous apprenez ainsi à vous refermer sur vous-mêmes, donc à fuir l'intuition. À quoi servirait un outil qui n'est pas utilisé ? Parce que l'intuition, c'est cela. C'est l'outil dont l'Âme se sert pour vous aider. C'est aussi ce que le conscient déteste le plus et pour une raison très simple : il n'en a pas la maîtrise. Une intuition, c'est irréfutable, ça ne s'analyse même pas. Vous savez que c'est bon et vous le vivez, ou vous le regrettez. *(Le fil d'Ariane, III, 16–11–1991)*

Comment faire la différence entre un message de notre Âme et un message de notre mental, de notre ego ?

Lorsque votre ego parle, vous le ressentez dans la tête uniquement, puis vous allez constamment analyser. Vous ne le vivrez pas, vous allez le penser uniquement. Lorsque le message proviendra de l'Âme, ce sera toujours soudain : une forme d'intuition, une forme de voyance, un rêve éveillé. Vous l'avez tous fait déjà. Le plus important, c'est que le message de l'Âme s'accompagne toujours d'une émotion : vous aurez le sentiment que c'est correct et vous n'aurez même pas le goût de penser tellement ce sera correct pour vous. Si vous ne faites pas cela, si vous n'apprenez pas à aller de l'avant, vous allez simplement douter constamment et votre cerveau jouera son rôle habituel. Il fera en sorte que vous réussissiez à croire que tout cela provient de vous. Disons que vos formes sont jalouses de vous-mêmes, le conscient veut trop s'accaparer la forme. Nous avons déjà dit que nous avions perdu le contrôle de vos formes il y a déjà plusieurs années. Vos formes sont de plus en plus conscientes, de plus en plus évoluées. Elles en viennent à croire qu'elles dirigent tout... Quel beau monde ! Vous n'avez pas fini d'avoir des surprises ! Plus vos formes croient qu'elles dirigent tout, plus vous vous en rendez compte et plus vous allez chercher de l'aide à l'extérieur. Curieux, n'est-ce pas ? La réalité est autre. Apprenez-donc à vous fier à vos intuitions, surtout à celles que vous allez percevoir au plus profond de vous, qui vous sembleront justes, même si pour mettre à contribution ces intuitions, vous devrez déplaire à certaines personnes. Au moins vous évoluerez quelque part dans votre vie, vous cesserez de subir. Ce n'est pas en vous protégeant constamment que vous allez évoluer. Si vous ne prenez aucun risque, personne ne les prendra pour vous. *(Les Âmes en folie, I, 24-04-1991)*

En parlant d'analyse, que faire pour arrêter de penser ?

Vous êtes vraiment concerné ! C'est très
simple, apprenez à ressentir en vous, que
cela devienne du vécu à chaque fois et non
pas une simple expérience. Par exemple,
vous ressentez de la joie en vous lorsqu'un
événement se produit et vous fait plaisir.
Donc, vous apprenez à reconnaître la joie;
vos formes apprennent cela. C'est la même
chose lorsque vous êtes tristes; vos formes
réagissent à la tristesse, vous avez appris la
tristesse. Ce sont des émotions physiques
que vous apprenez à maîtriser avec des sentiments. Lorsque vient le temps de mettre
à l'épreuve des sentiments qui ne sont pas
du réel de vos formes, des sentiments d'ap-
partenance par exemple – vous l'avez à peu
près tous vécu avec des gens que vous ne
connaissiez pas, avec des lieux où vous
n'aviez jamais été dans le passé – c'est une
autre forme d'ouverture, appelez cela du
vécu. Vos formes ressentent sans comprendre. C'est la même chose lorsque vous
faites des demandes et que vous avez vos
réponses. Vous les ressentez de la même
façon que vos sentiments, de la même façon

que vous ressentez les gens que vous ne
connaissiez pas. Ce n'est pas dans votre
cerveau, c'est en vous. Quand vous analysez, cela se passe au niveau du cerveau
puisque vous avez image sur image, pensée
sur pensée, et que vous pouvez y répondre
de vous-mêmes jusqu'à ce que vous réussissiez à trouver une réponse qui vous satis-
fasse. Lorsque c'est immédiat, vous avez le
ressenti intérieur, toujours. Par exemple,
prenez le nombre de fois que vous vous êtes
dit : « J'aurais dû le faire. » Même dans les
deux dernières semaines : « J'aurais dû
prendre cette route, je le savais. » Vous le
ressentiez que la vérité était de prendre
cette route mais vous vous êtes dit : « Non,
sur la carte, c'était tout droit. » C'est cela
apprendre à intégrer le vécu parmi vos réa-
lités pour que ce soit accepté de vos
cerveaux. Vous avez appris à faire les premiers pas, vous êtes tombés sur les genoux,
souvent dans votre cas, mais vous avez
appris à marcher et à courir malgré tout.
Vous allez nous dire : « Cela a pris quelques
mois. »   Mais même si vous prenez

quelques années pour vous fier à vos intuitions correctement, le principal est de l'apprendre. Apprenez à vous écouter lorsque
ce sera du vécu et vous le saurez lorsque
vos sentiments seront mis à l'épreuve.
Mettez un peu plus de côté toutes ces
occasions qu'a le cerveau de tout analyser
pour trouver lui-même une réponse; cela
vous évitera de faire du kilométrage pour
rien en automobile.   *(Les Âmes en folie, IV,
20–07–1991)*

 *omment savoir si c'est mon Âme ou
mon mental qui me guide ?*

Lorsque c'est votre mental, vous avez toujours une objection, et vous aurez toujours
une autre question à vous poser.   Cela
apporte l'analyse, l'incertitude.   Lorsque
c'est votre Âme, c'est spontané. Vous savez
que vous devez le faire; à vous de le faire
ou non. Si vous ne le faites pas, vous vous
remettez en question constamment. Si vous
le faites, vous apprenez.   Certaines personnes apprennent à avoir confiance en elles

comme cela. L'Âme ne s'exprimera que par
votre intuition et très souvent par le rêve,
éveillé ou non. Actuellement, cette forme
[Robert] n'a aucun rêve. Il faut bien comprendre que, lorsque vous aurez vraiment
saisi ce qu'est l'harmonie en vous, ce n'est
pas une question comme celle-ci que vous
nous poserez.   Vous nous demanderez :
« Est-ce que j'ai le droit de vivre cela ? Est-
ce que je suis correct ? Je suis trop bien pour
cela. » Vous savez, ce n'est pas elle qui prend
contact avec votre conscient, c'est *vous* qui
prenez conscience de son existence. Mais
vous cherchez beaucoup trop profondément
en vous ce qui est déjà en surface et qui ne
demande qu'à s'exprimer. Voici autre chose
pour vous aider à comprendre. Regardez
dans vos expériences passées. Toutes les fois
que vous avez été bien avec vous-même,
quel phénomène s'est-il passé ?

J'étais bien, j'étais heureux.

Qu'est-ce qui se passait en vous pendant
ces périodes ? À quoi pensiez-vous ?

L'harmonie... Je me sens bien, je me laisse aller.

Où sont les problèmes ?

Il n'y en a pas.

Tout à fait. Comment se fait-il que, lorsqu'il y a des problèmes, ce ne soit pas la même chose ?

Parce que j'analyse.

Tout à fait. Comprenez-vous le sens de votre question maintenant ?

Oui.

Ce n'est qu'une première session, ne l'oubliez pas. N'ayez aucune crainte. (*Luminance, I, 17–04–1993*)

J'aimerais revenir sur l'intuition et savoir pourquoi l'activité cérébrale diminue si facilement l'intuition.

Parce que vous n'avez pas appris ce qu'était
une activité cérébrale, justement. L'intuition, ce n'est pas une activité cérébrale;
c'est une traduction complète d'une forme,
d'un état d'être qui n'est pas sujet à analyse,
alors qu'une intuition cérébrale en est une
qui fera en sorte de vous donner des pour et
des contre, mais l'état d'être n'y sera jamais
associé. Donc, vous ne serez jamais certains de votre décision, vous ne saurez
jamais si elle est bonne ou non. Prenez
l'exemple de ceux qui, dans le milieu des
affaires, réussissent le plus. Est-ce leur
façon de diriger ou leur intuition qui les fait
réussir à votre avis ?

Je dirais que c'est l'intuition.

Tout à fait. Ce ne sont pas les gens qui
réussissent qui dirigent; ils délèguent cette
portion de leur réussite. Ce sont des gens
qui utilisent leur intuition et qui savent que,
s'ils l'utilisent à bon escient, ils ne se
tromperont pas. Ils le savent à un point tel
qu'ils y croient, à un point tel que cela

fonctionne. C'est cela réussir. Et c'est la même chose dans vos vies, dans tous les milieux, à tous les niveaux. Cela devrait être montré dès qu'un enfant sait parler. Il faudrait lui demander ce qu'il ressent, où cela se situe en lui et s'il se sent bien avec ce qu'il ressent, sinon qu'est-ce qu'il devrait faire pour mieux se sentir. Cela se développe et pas toujours lorsque vous êtes adultes. Une fois adulte, c'est plus long parce qu'un adulte s'attend à avoir des expériences de vie alors que l'enfant n'attend rien, il vit. *(La source I, 09–04–1995)*

Lorsqu'on reçoit une réponse, comment déterminer que ce n'est pas notre conscient, mais notre petite voix intérieure qui est vraiment notre Âme ?

C'est très simple. Lorsque ce sera votre conscient qui vous répondra, vous ne vivrez rien à l'intérieur, vous n'aurez aucune émotion qui s'y rattachera. Par contre, vous saurez que c'est votre Âme lorsque vous n'aurez même pas le goût de résister, et ce pour une raison très simple : vous allez le vivre en même temps, vous allez avoir des émotions ou des sentiments rattachés à cette réponse. Voici un exemple très simple que beaucoup ici ont vécu : vous appelez cela le coup de foudre. Vous savez que cela déclenche en vous une émotion intense, mais vous ne savez pas pourquoi. Cependant, vous savez que c'est bon pour vous et vous continuez. Sur une plus petite échelle, lorsque cela se produit dans vos vies, c'est très similaire, vous savez que c'est bon et vous y allez. Vous saurez que cela vient de l'Âme lorsque votre conscient s'en mêlera et qu'il cherchera des raisons; vous verrez alors vos émotions et vos sentiments intérieurs se modifier et vous serez déçus. Vous cherchez tellement ce qui est évident que cela en devient compliqué. *(Renaissance, I, 14–09–1991)*

Comment se dégager du conscient au profit de l'intuition ?

Il y a deux types d'intuition. Il y a l'intuition directement reliée à l'Âme, qui vous

fait vivre à chaque fois l'intuition; vous la
« repercevez » toujours dans vos formes.
Avec ce type d'intuition, vous ne vous
posez jamais de questions, vous agissez.
Puis, il y a l'intuition provenant du cerveau,
provenant de rapides déductions. Vous ne
la vivez pas mais vous avez une réponse.
C'est la plus courante des intuitions. Celle
de l'Âme, vous la vivez immédiatement, car
c'est une réponse directe et vous en avez le
sentiment constant. Donc, comment vivre
cela ? En vous connaissant mieux, en
apprenant à être heureuse, en apprenant à
mettre de côté les gens qui dirigent votre
vie et en apprenant à vivre vous-même ce
qui vous convient. Nous avons parlé de
voyants qui auraient besoin de foyers, mais
nous pourrions aussi parler d'auditifs qui
auraient besoin de prothèses auditives pour
mieux s'entendre. Ne dites-vous pas qu'il
n'y a pas plus sourd que celui qui ne veut
pas entendre ? Combien de fois par jour
refusez-vous d'entendre une réponse qui
pourrait vous aider – et vous le savez ! –
mais qui vous causerait des douleurs dans

l'immédiat si vous l'écoutiez ? C'est ce qui vous empêche de le faire d'ailleurs. C'est tout un apprentissage que cela. *(L'envol, III, 09-05-1992)*

Comment être bien en contact avec soi, bien reconnaître son intuition et apprendre à se faire confiance ?

Lorsque vous faites une erreur, êtes-vous capable de le reconnaître ? Comment vous sentez-vous lorsque vous faites une erreur volontaire ?

Pas bien.

Quelle est donc votre question ? Si vous savez reconnaître cela, c'est donc que vous savez et vous avez la force à la fois de vous déplaire et de vous plaire. Ce n'est qu'une question de choix. *(L'envol, II, 11-04-1992)*

Comment peut-on savoir si c'est l'intuition qui nous parle ou si c'est le conscient, le cerveau ?

Tel que nous l'avons mentionné plus tôt
dans cette session, lorsque le cerveau vous
envoie des messages, ces messages sont
plus directs et plus rapides parce que vous
n'avez pas de délai. Vous avez une réponse,
un oui, un non, un mot ou une image, mais
c'est rapide et vous ne vivez pas cette
réponse. Vous avez une réponse pour ce
qu'elle est. Par contre, lorsque ce sera l'intuition profonde, celle de l'Âme, lorsque ce
sera le dialogue direct avec votre Âme,
vous allez ressentir le message au complet
en vous et ce ne sera pas seulement une
réponse mais un fait immédiat. Par exemple, lorsque vous vivez quelque chose qui
est bien et bon pour vous, que ressentez-
vous ?

Un bien-être.

Donc, une réaction de votre forme.
Lorsque vous faites quelque chose qui ne
vous convient pas, c'est la même chose;
votre forme réagit, négativement mais elle
réagit. Vous arrive-t-il parfois de penser

seulement pour penser, de voir une personne et de réfléchir, de n'avoir aucune
réaction de votre forme ?

Oui.

Donc, vous n'avez aucune réaction de la
forme, juste au niveau du cerveau. C'est
l'intuition du cerveau. C'est la même
chose, sauf que la période de temps est très
courte. En d'autres termes, quand vous êtes
face à un problème et qu'il vous faut une
solution, demandez-vous si la première
réponse que vous avez est un oui, un non,
et si vous la sentez seulement au niveau du
cerveau. Si c'est le cas, c'est une intuition
du cerveau ou une réponse rapide. Si, par
contre, vous vivez cette réponse, que votre
forme la ressent, ne vous posez pas de questions et agissez. C'est de cette manière que
vous aurez des résultats. Si vous ne le faites
pas, vous allez vous dire : « J'aurais dû, je le
savais. » Pour comprendre, regardez plutôt
ce que vous viviez lorsque la première
réponse vous est venue et que vous avez

hésité. Où la ressentiez-vous dans votre
forme ? La viviez-vous ? La réponse sera
« Oui » et non « J'aurais dû ». *(L'envol, III,
09-05-1992)*

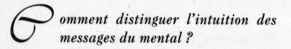

*omment distinguer l'intuition des
messages du mental ?*

Lorsque vous aurez des messages de votre
cerveau, vous n'aurez aucune perception
physique de la réponse, aucune. Lorsque
ce sera une intuition, vous la vivrez toujours. Lorsque vous aurez une intuition,
vous allez tellement ressentir en vous que
c'est ce qu'il faut faire, que vous allez même
le vivre. Quand l'analyse – ou le mental,
comme vous dites –, prend la place, cela
disparaît tout de suite et vous avez ensuite
trois ou quatre analyses, une à la suite de
l'autre. L'intuition ne vient pas de l'analyse,
elle vient de l'écoute directe. C'est pour
cela que nous disons toujours : écoutez
bien, traduisez bien, puisque ce pourrait
être votre Âme. Cela pourrait aussi être
une perception extérieure d'une autre

personne.   Certaines personnes sont ouvertes à cela; elles perçoivent ce qu'une autre personne vit, le traduisent en intuition et répondent tout de suite. C'est une bonne façon d'aider l'autre ou les autres. Il faut bien comprendre que l'intuition se vit, se ressent et a beaucoup plus de certitude tandis que l'analyse du cerveau vous amènera deux ou trois analyses à chaque fois, mais jamais vous ne le vivrez dans votre forme. C'est très similaire au cas de cette personne à qui nous venons de faire vivre le lâcher prise. L'intuition a une position en vous et, dès que vous l'avez identifiée, votre cerveau ne peut la contourner puisque c'est une forme d'empreinte en vous et qu'elle ne se copie pas. Avons-nous répondu à cela ?

Au moment de l'intuition, on doit le vivre, le ressentir mais, si en le vivant, en le ressentant, le doute s'installe...

Le doute s'installe lorsque le temps s'installe. Si vous attendez trop, vous aurez le doute parce que vous n'aurez pas confiance

dans votre intuition, parce que vous aurez
peur de la vivre, parce que vous aurez peur
des conséquences. Lorsque vous vous
empêchez de vivre cela, votre cerveau fait
quoi ? Il compense. Si c'est pour faire peur,
si c'est pour faire mal, si c'est pour être con-
tradictoire à votre vécu actuel, le cerveau se
dira : « Très bien, je vais donc apporter
l'analyse, un doute plus grand. » Et cela
vous fait changer d'avis ou d'idée à chaque
fois. C'est le temps que vous vous donnez
pour vivre une intuition qui vous nuit.
Apprenez avec plus de spontanéité. Vous
ferez des erreurs plus vite, et après ? Vous
allez apprendre à vous écouter, vous allez
apprendre à écouter aussi. *(L'essentiel, III,
17–10–1992)*

*Ù et comment puis-je faire, en par-
tant de mon corps physique, pour
visionner mon Âme ? Vous avez déjà dit
qu'elle n'est pas toujours obligatoirement à
l'intérieur de nous, qu'elle peut être à côté
de nous...*

Tout à fait.

Quand je me concentre et que je veux demander quelque chose à mon Âme, je ne sais pas comment m'y prendre, comment l'imaginer.

Faites-le de façon à le ressentir dans la totalité de votre forme, pas dans votre tête, peu importe l'endroit que vous choisirez. Ce qui compte, c'est que vous le ressentiez quelque part, mais pas seulement dans votre tête, sinon vous aurez d'autres réponses. Ressentez ! D'ailleurs, vous apprendrez cela lors de la fin de semaine, c'est ce que nous devons vous apprendre. Actuellement, vous êtes en train d'apprendre des détails sur vos vies. Nous savons que nous avons exagéré le temps dans cette session, profitez-en donc. *(L'Éclosion, III, 29–05–1993)*

Est-ce qu'il y a une différence entre intuition et impulsion ?

L'impulsion est une réaction qu'une forme se donne pour pouvoir réagir; l'intuition, c'est totalement différent comme nous l'avons expliqué il y a quelques instants. Vous pouvez les vivre à deux niveaux et croire aux deux niveaux. Il y a des gens qui réagissent par impulsion en ce sens qu'ils réagissent selon ce qu'ils croient être bon. Bien souvent, cela se produit par visualisation; donc, c'est une réaction. *(L'envol, III, 09-05-1992)*

Dans une autre session, vous avez parlé de quelqu'un qui est venu nous guider. Qui est-il et à quelle époque est-il venu ?

Avons-nous vraiment mentionné cela ? Quelques instants que nous cherchions le contexte parce qu'une seule personne... Nous avions bien mentionné qu'une personne ayant beaucoup de facultés, capable de vous aider et représentant le mieux vos sociétés pourrait bien exister, mais nous parlions beaucoup plus de l'individualité

qu'il y a en chacun de vous, du fait de prendre en main votre vie, votre individualité,
vos choix. Vous êtes une de ces personnes;
vous êtes tous de ces personnes. Mais une
seule personne ? Nous avons plutôt dit que,
s'il y avait une telle personne qui venait
dans votre monde actuellement, elle serait
rapidement mise de côté; elle ne serait pas
lapidée, mais détruite. Personne ne croirait
une seule et unique personne dans votre
monde. Vous voulez un exemple ?
Supposons que nous fassions réapparaître
Jésus, que nous le placions sur le Mont
Royal – il y a bien une croix à cet endroit,
cela conviendrait – avec de gros pro-
jecteurs, de gros amplificateurs et que nous
lui demandions de prêcher. Nous ne lui
donnons pas une heure pour se faire enfer-
mer. Personne ne voudrait le croire. Cela
n'a pas réussi dans le passé, cela ne réussira
pas plus dans le futur. Les nouvelles méthodes sont beaucoup plus individuelles.
N'attendez pas un sauveur. Il y a des gens
qui ont ces capacités, qui peuvent vraiment
vous aider, mais ils sont tellement

raisonnables qu'ils seraient mis de côté.
Vos sociétés les rejetteraient. Souvenez-
vous de ce que nous avons dit auparavant.
Vous êtes habitués de vivre vos problèmes
jusqu'à la limite de votre endurance et vous
vivez cela collectivement maintenant.
Donc, chacun d'entre vous peut vivre cela à
sa façon, selon ses choix, pas seulement un
individu. *(L'envol, IV, 30–05–1992)*

*Pourquoi souffrir particulièrement
à la veille de la mort ?*

Reformulez cela plus clairement. Nous
comprenons le sens de votre question, mais
cela semble démontrer que tous souffrent à
la veille de mourir, et ce n'est pas le cas.

*Alors, pourquoi y a-t-il des gens qui
souffrent ?*

Outre la maladie même ? Outre la douleur
physique ? Il y a des gens qui meurent sans
douleur physique parce qu'ils ont pris des
produits les empêchant de souffrir, mais qui

souffrent beaucoup psychologiquement. De quelle souffrance parlez-vous ?

Par exemple, un accident d'automobile, une mort violente.

Parce que la mort n'est pas choisie. Vous savez, ce sont *vos* inventions. C'est vous qui utilisez ce moyen de transport, pas nous, pas vos Âmes. Croyez-vous honnêtement qu'une Âme voudrait en terminer comme cela avec une forme ? Ce serait dire qu'elle n'aime pas, et c'est faux. Si vous saviez à quel point elles restent dans vos formes. Elles ne quittent jamais une forme avant qu'il n'y ait plus de conscience, par amour, par respect. Personne, pas même vos parents, ne peut vous aimer plus que votre Âme. C'est un amour inhumain, c'est cela que vous ignorez. Et vous croyez qu'elles pourraient entendre et accepter la souffrance ? C'est de la foutaise et c'est faux. Elles souffrent autant que vos formes. Vous avez appelé cela un accident, et c'est un accident. Ce n'est pas prévu, cela ne doit pas se faire comme cela. Mais elles ne peuvent pas vous empêcher de traverser une rue si vous voulez le faire vous-mêmes de force, consciemment. Combien ont eu des intuitions de ne pas faire telles choses et les ont faites ? Qui croyez-vous vous envoyaient ces intuitions ? Si vous n'apprenez pas cela, vous payez pour, et vous n'êtes pas seul mais deux à souffrir. Bien sûr, il y a la souffrance qui est physique puisque, lorsque vous blessez vos formes, elle existe. Cela, vous le savez tous, mais ce n'est pas voulu. Comprenez bien une chose aussi : il n'y a pas une seule forme qui évalue la douleur au même point. Pour certains, ce qui fait peu mal fait très mal; pour d'autres, ce qui fait très mal ne fait pas mal. Vous évaluez selon vos peurs, selon vos craintes de souffrir et plus vous avez peur de souffrir, plus cela vous fait mal. Nous comprenons que, si vous vous trouvez écrasés à l'intérieur de vos véhicules, que ce n'est pas assez pour que vous perdiez la vie et que vous restez conscients, il y aura de la douleur. Comprenez bien que la douleur, c'est physique. Cela n'a rien à voir avec l'énergie de vos Âmes et elles ne choisissent pas cela. Ceux qui croient que vos Âmes vivent volontairement des expériences douloureuses dans des formes, oubliez donc cela. Quel intérêt aurait-elle ? D'apprendre la douleur ? Elles n'ont qu'à regarder, elles n'ont pas besoin de vivre cela. Elles sont venues s'exprimer, faire la démonstration de leur savoir, dépasser la matière elle-même. Elles ont voulu nous prouver que, même dans la matière, elles peuvent créer. C'est cela qu'elles veulent démontrer. Dans certains mondes, elles ont réussi cela, mais pas dans le vôtre, pas encore. Mettez-vous à la place de quelqu'un qui est pris dans un accident comme celui que vous venez de mentionner. Vous verrez ce qu'il pensera dès qu'il pourra penser : « Pourquoi ai-je fait cela ? », « Pourquoi ai-je dû ? », etc., constamment ! Puis cela fera des changements dans le futur. Vous apprenez souvent à vous écouter comme cela. Ne croyez pas que c'est volontaire. Ce que vous pouvez retirer

d'une telle situation, c'est énorme, même si
ce n'est pas voulu. Vous pouvez soit vous
plaindre de ce qui vous arrive, vivre avec
une souffrance toute votre vie ou vous dire :
« Très bien, qu'est-ce que je vais gagner
dans cela ? Qu'est-ce que je vais apprendre
dans cela ? Était-ce pour moi ou pour les
autres ? » Il n'y a pas une seule occasion de
vos vies où vous n'avez pas à apprendre.
Juste de le vouloir, c'est aimer la vie.
Regardez vos hôpitaux, nous avons beau
chercher, nous avons des problèmes à trouver des gens qui s'aiment, mais aucun problème à trouver des gens qui veulent être
aimés par contre. *(L'essentiel, I, 29–08–1992)*

*C*omment expliquer le phénomène
des prémonitions ?

Dans le même sens, sauf que nous y avons
répondu au début de l'autre question. Nous
disions que certaines personnes perçoivent
de l'extérieur ce que d'autres vivent et
qu'elles peuvent le retraduire. Donc, c'est
une forme d'intuition mais ne provenant pas

de vous-mêmes mais de l'extérieur de vous. Vous le faites tous en fait, mais vous craignez tellement de le vivre ! Donc, c'est une plus grande ouverture. Ceux qui utilisent cela, qui peuvent le communiquer, sont des gens qui peuvent habituellement écouter leurs propres intuitions et avoir confiance. Sinon les prémonitions ne sont que des rêves de peurs créés par vos cerveaux. Plusieurs font cela, plusieurs le font même dans le rêve. La prémonition comme telle a toujours fait peur aux humains parce que personne n'aime l'inconnu, parce que l'inconnu veut aussi dire autant de douleur que de joie. C'est le noir, c'est le non-identifié, mais c'est le à-peine-perceptible parce que ceux qui auront le loisir de traduire les perceptions n'auront pas tous les détails. Et c'est cela qui fait peur, peur d'oublier les détails, peur que ce ne soit pas complet. Donc, vous limitez cette perception extérieure à une intuition; et c'est habituellement cette intuition que vous avez peur de mentionner parce qu'elle n'est pas complète et que vous avez peur qu'elle fasse peur. *(L'essentiel, III, 17–10–1992)*

Quand il y a de la télépathie entre deux êtres, est-ce que ce sont deux Âmes qui communiquent ?

Premièrement, de la façon dont les Âmes communiquent entre elles, elles n'ont pas besoin de votre parole : elles s'uniront simplement entre elles. Rappelez-vous que nous ne faisons tous qu'un dans notre milieu, c'est la même chose pour les Entités. Donc, selon les liens que deux personnes auront établis ensemble, les Âmes pourraient leur donner des états d'être qui les rapprocheraient et les forceraient à être ensemble – appelez cela des coups de foudre ou autre chose. Elles créeront ces attirances. Si ce n'était pas un besoin, elles feraient simplement en sorte d'apprendre entre elles en forçant vos formes à vivre des expériences ensemble. L'idéal toutefois serait que vous en soyez conscients. Lorsqu'il s'agit de télépathie, il s'agit de la traduction des champs magnétiques de vos formes. Il y a des gens qui émettent beaucoup; d'autres qui savent recevoir ou traduire ce qu'ils ressentent autour d'eux par intuition,

ce qui est une autre façon de voir quand ce
n'est pas au niveau de l'Âme. D'ailleurs,
plusieurs ressentent cela quand ils se sentent
obligés de quitter des gens autour d'eux
parce qu'ils ne se sentent pas bien; de la prémonition, si vous voulez. Lorsque vous
devez vous absenter de votre domicile, mais
qu'en vous tout fait en sorte que vous ne sor-
tiez pas, apprenez à comprendre qu'il ne faut
pas sortir alors; sachez voir plus loin. Dans
ce cas précis, l'Âme fait souvent en sorte que
des événements de votre quotidien vous
empêchent de vous absenter. Dans d'autres
cas, il arrive que ce soit différent. Pour
répondre à votre question sur la télépathie
entre deux êtres, sachez que certaines personnes sont très ouvertes à recevoir et peuvent traduire ce qu'elles ressentent des gens
qui les entourent; elles peuvent trouver des
mots et, par expérience personnelle, elles
trouvent des faits qui s'y rattachent. Mais la
télépathie ne se fait pas entre Âmes; c'est
seulement la traduction que vous apprenez à
faire avec vos formes de tout ce qui les
entoure. *(Arc-en-ciel, III, 04–06–1994)*

Comment peut-on expliquer qu'à certains endroits, on peut ressentir des vibrations qui ne sont pas toujours bonnes?

Selon l'ouverture que vous aurez à ces perceptions, vous les ressentirez ou non. Plus vous serez ouverts, plus vous pourrez faire les choix qui vous conviendront et plus vous serez avertis aussi de ce qui ne vous convient pas. Différentes méthodes de perception sont disponibles à ce niveau. Certains diront : « Mais ce n'est qu'une impression que j'ai. » D'autres diront : « C'est mon intuition. » D'autres agiront et diront : « Cela ne me convient pas et je pars. » Donc, vous êtes avertis quand il y a danger, vous êtes avertis que cela ne vous convient pas. Prenez cela comme une façon de comprendre votre niveau d'ouverture et cela vous conduira plus loin, généralement à percevoir davantage ceux qui vivent avec vous dans votre quotidien, non seulement les lieux mais les gens. *(Les Âmes en folie, III, 22-06-1991)*

omment faire pour vivre en paix
quand on est côtoyé par des gens
qui manifestent de la violence physique ou
verbale. C'est un choix qu'on fait de vivre
avec eux mais comment faire pour que cela
ne nous atteigne pas ? Pourquoi la violence
verbale nous fait-elle si peur ?

Vous avez répondu à la question que vous
avez posée. Nous avons dit dans cette session, et nous l'avons répété à de multiples
reprises, que cette dimension d'énergie en
vous qu'est l'Âme, ou Entité si vous voulez,
cette énergie qu'il y a en vous fait contact
avec tout ce qui l'entoure pour savoir où
vous diriger, sur ce qui vous convient ou ne
vous convient pas. Lorsque vous vivez
avec des gens violents, que ce soit dans
votre milieu de travail ou dans une société,
vous avez en fait deux choix. Ou vous
écoutez ce qui est dit *en vous* et qui vous
protège, qui vous éloignera de la violence
ou fera en sorte que vous ayez les gestes et
les attitudes pour vous protéger. Ou encore
vous ignorez ce qui est dit en vous, vous

allez de l'avant pour apprendre autrement,
comme cette forme [Robert] l'a si bien vécu
malgré nos avertissements. C'est ce que
cette forme [Robert] a fait : elle a ignoré
quatre fois. Nous l'avions même empêchée
de voir où elle allait mais, malgré cela, elle
s'est entêtée. Bon, très bien ! elle a appris
beaucoup à travers cela mais, physique-
ment, nous aurions pu nous en passer...
Nous trouvons que ce que nous exigeons
est bien suffisant sans ces expériences.
Mais tout de même, elle a appris et nous
respectons cela. Mais si cette forme
[Robert] avait vraiment écouté, pas ce que
nous disions mais ce qui était dit en elle, ce
qu'elle ressentait, elle ne vous en aurait pas
parlé puisque cela ne se serait pas produit.
Dans le fond, c'est très bien puisqu'elle vous
rend un peu plus conscients de ce qui vous
entoure. L'expérience que cette forme a
vécue répond aussi à votre question car elle
vous dit : « Apprenez à percevoir et mettez
en oeuvre les protections qui vous
entourent. Apprenez à vous écouter. » Et
lorsque cette sensibilité sera atteinte, oui, il

y aura encore des violences autour de vous, mais elles seront autour de vous et vous n'en ferez pas partie. C'est une très bonne question. *(La source, II, 07–05–1995)*

Comment savoir si une décision ou un choix de vie est bénéfique pour mon Âme ? Par exemple, j'ai décidé de me séparer après plusieurs années de mariage, et je me demande si c'est un bon choix pour mon Âme.

Pourquoi vous inquiétez-vous pour votre Âme ?

Pour l'évolution de mon Âme.

Mais pour vous-même, pour votre évolution, ressentez-vous en vous que ces choix ont été les bons choix ?

C'est de cela que je doute; je suis indécise.

Où ressentez-vous cela en vous ? Est-ce dans votre tête ? Où se situe ce doute ?

C'est peut-être dans mes valeurs, celle du mariage. Peut-être que l'Âme évolue plus avec quelqu'un...

Quelle foutaise que cela ! La majorité des formes ne sont même pas conscientes qu'elles ont une Âme.

Mon Âme, c'est moi; et moi, c'est mon Âme; c'est la même chose.

Oh ! pas tout à fait. Vous, vous êtes une forme qui a son propre niveau d'énergie physique conscient. L'Âme, c'est une énergie qui se rajoute à cela. L'Âme n'est pas créée à votre naissance, ce n'est pas une énergie que vous véhiculez et qui quitte la forme comme cela. L'Âme s'y est rajoutée. C'est cette distinction que vous ne faites pas. Elle a eu ses expériences passées – d'autres formes avant vous – et elle en aura d'autres après vous. Vous voulez savoir quand elle est heureuse ? C'est très simple. Demandez-vous si vous l'êtes pleinement. Si vous ne l'êtes pas, demandez-vous comment vous pourriez le devenir. Si vous ne faites pas cela, si vous vous basez sur elle, comment ferez-vous cela ? Comment arriverez-vous à avoir pleinement un dialogue avec elle ? Basez-vous donc sur ce que vous vivez, *vous*, pas elle. L'Âme s'exprime dans votre forme et par votre forme si vous lui donnez la chance de le faire. Si vous pensez à sa place, vous ne saurez jamais ce qu'elle veut puisqu'elle est là pour s'exprimer. Mais vous n'avez pas répondu à notre question : où le doute se situe-t-il en vous ? Où ressentez-vous cela ? À quel niveau ?

Au niveau du coeur.

C'est à ce niveau que vous ressentez le doute ?

Non, pas le doute.

Que ressentez-vous au niveau du coeur ?

Le besoin d'apprendre à aimer.

Dans la relation que vous nous avez men-
tionnée ?

Oui, dans cette relation-là, le besoin d'ap-
prendre à aimer davantage. Je pourrais
être plus conciliante et tolérante.

Et au niveau de la tête, qu'est-ce que ça dit ?
Ce que nous voulons vous faire comprendre, c'est que lorsque vous pensez seulement dans votre tête, lorsque vous avez vos
idées seulement au niveau de la tête, c'est
votre tête qui pense. Dès que vous avez
cela dans votre forme, dès que vous ressentez cela en entier, au niveau de votre coeur
si vous voulez, c'est toute votre énergie qui
s'exprime, donc la sienne. Si vous savez
écouter cela, vous aurez toujours les
réponses. Sinon, vous aurez de l'analyse :
pas du vécu, seulement des faits. Vous
comprenez ?

Quand je me demande quel est le besoin de
mon Âme, la réponse sera dans ma forme ?

Ce seront vos besoins à vous. En d'autres termes, si vous voulez qu'elle s'exprime, démontrez-le. Si vous êtes heureuse, elle sera heureuse. Et sa façon de l'exprimer sera de tirer les ficelles nécessaires pour cela. Rappelez-vous le but de l'incarnation... Vous pouvez ignorer votre Âme toute votre vie et continuer de vivre. Elle aura ensuite une autre forme qui sera peut-être plus compréhensive ou elle aura peut-être ce qu'elle veut atteindre avec une autre aussi. En d'autres termes, penser à l'Âme est une chose très importante, mais vous devez aussi être à l'aise pour cela et faire des choix à son niveau comme au vôtre. Cela ne se fait pas dans la tête, mais beaucoup plus au niveau de votre coeur parce que le coeur exprimera tout ce que votre forme vit. Le contraire serait de seulement vivre des expériences et de refaire constamment les mêmes erreurs. Comment écouterez-vous à l'avenir ?

Avec mon senti.

C'est beaucoup mieux. Et lorsque vous
avez fait cela dans le passé, comment vous
êtes-vous sentie ?

Bien, mais c'est la culpabilité qui...

Mais où se trouve la culpabilité en vous ?

Encore dans la tête.

Tout à fait. Dans ce cas, n'y portez donc
pas attention. Ce que vous analysez au
niveau de la tête sera dans la tête. Si vous
aviez ressenti la culpabilité au niveau du
coeur, nous dirions que vous avez fait une
légère erreur de parcours et que c'est corri-
gible. Mais si c'est dans votre tête, c'est que
vous cherchez à la dépasser. Donc, passez
à autre chose. *(L'Éclosion, III, 29-05-1993)*

Comment savoir qu'on fait les bons
choix ?

Comment avez-vous fait cela dans le
passé ?

Je ne sais pas.

Comment faites-vous de mauvais choix dans ce cas ?

Habituellement, j'allais selon mes besoins.

Si c'était un besoin, c'était un bon choix. N'était-ce pas plutôt selon ce que vous vouliez ?

Oui, certainement. Au niveau du travail, je voudrais savoir si le choix est à refaire. Comment arriver à être certaine que c'est autre chose qu'il faudrait faire ?

Est-ce vraiment une question ?

Oui, parce qu'au bout de cinq ou six mois, cela me revient souvent dans la tête. J'aurais le goût de faire telle chose...

Peut-être que vous vous ennuyez ?

Quand je pense à cela ?

Tout à fait.

*C'est possible. Si je m'ennuie, c'est parce
que justement...*

Peut-être justement que vous n'avez pas de
but non plus ? Que voulez-vous atteindre à
travers une carrière ?

En fait, me découvrir...

Allons ! personne ne se retrouve en travail-
lant, personne n'aime cela à ce point !

*Il y en a qui se passionnent pour leur tra-
vail.*

Oh ! lorsqu'il n'y a rien d'autre, en effet.

*Par rapport au choix d'un copain, comment
savoir si on fait le bon choix ?*

En le ressentant.

Comment le ressentir ?

Êtes-vous capable de ressentir ce qui est bon pour vous ?

Parfois je ne suis pas sûre, je me pose des questions.

Dans ce cas, revenez à une fois que ce fut très bon pour vous... Où ressentez-vous cela ? Trouvez un événement heureux.

Oui, j'en ai un.

Où ressentez-vous cela ?

Dans l'estomac, dans le ventre.

C'est dans votre ventre ? Très bien. Trouvez une fois que vous étiez incertaine, comme actuellement.

C'est dans ma tête; j'ai des doutes.

Tout à fait. Qu'est-ce que vous en déduisez maintenant ?

C'est comme plus clair.

Chaque fois que vous vivrez une situation
où vous serez incertaine, ce sera au niveau
de votre tête. Chaque fois que vous aurez
une situation qui requerra un changement
et que vous aurez la bonne solution, ce sera
au ventre, comme vous dites, pas dans la
tête. Vous croyez que vous analysez à
mesure, mais ce n'est pas le cas. Votre
forme le vit avant que vous ne le pensiez.
Apprenez à vous écouter autrement. Ce
n'est pas le nombre de métiers que vous
ferez dans votre vie qui comptera, mais ce
que vous en aurez retiré comme avantages.
Quel bonheur y aurez-vous trouvé ? Quels
avantages ?

*Quand cela fait 15 ans qu'on fait le même
type de travail, est-ce nécessaire de changer ? Je suis quand même bien dans ce que
je fais.*

Qu'est-ce que le travail vous apporte, seulement pour vous ?

Pas grand-chose.

Dans ce cas, le changement ne sera pas grand-chose non plus. Ce que nous voulons vous faire comprendre, c'est que si vous ne faites rien pour vous-même, comment pouvez-vous avoir le goût de vous rendre travailler ? Qu'est-ce qui vous motive ?

La sécurité financière.

Mais si vous ne faites rien pour vous, qu'est-ce qui vous motive ? Des économies ? Cela rend insécure. Qu'est-ce qui pourrait justifier votre travail, juste pour vous ?

Des vêtements.

Plus que cela ! Qu'est-ce que cela vous donne à vous ? Qu'est-ce que cela vous procure ? Que vous êtes-vous acheté seulement pour vous ? Vous n'avez aucun autre but que les vêtements ?

Non, mais vous vouliez savoir ce que je m'étais acheté, des choses neuves...

Qu'avez-vous devant vous qui vous motiverait à travailler pour vous permettre de l'avoir ?

Peut-être une maison, peut-être un voyage...

C'est cela le problème avec vous, vous ne savez pas ! Apprenez à planifier, apprenez à savoir ce qui vous tente vraiment. Vous nous dites être capable de ressentir au niveau du ventre ce qui vous tente, ce qui vous fait plaisir...

Parfois, c'est clair et je sais que j'aime cela. Mais quand je ne le ressens pas, ce ne doit pas être ce qui me convient.

Tout à fait. Apprenez à vous écouter comme cela. Mais trouvez-vous donc quelque chose qui vous motivera ! Pas la sécurité, car c'est tout le contraire. Vous allez vous démotiver. Travailler seulement pour vous sentir en sécurité vous rendra insécure. Mais ce sera bien différent si vous travaillez pour quelque chose de plus,

seulement pour vous; cela motivera votre
forme, ce qui n'est pas le cas actuellement.
Cessez donc de dire que vous ne savez pas.
Vous êtes beaucoup plus intelligente que
cela. Vous savez ce qui vous convient, sauf
que vous hésitez trop souvent, et le fait
d'hésiter vous empêche de vous réaliser à
chaque fois. Combien de fois, ne serait-ce
depuis ces six derniers mois, n'avez-vous
pas dit : « J'aurais dû » ou « J'aurais pu » ?

Plusieurs.

Effectivement. Pensez à cela. (L'Éclosion, III,
29-05-1993)

*Comment fait-on pour laisser parler
son Âme ?*

Comment fait un enfant pour rire ?

Il se laisse aller.

Comment faire pour entendre son Âme ?
Vous la laissez s'exprimer. Combien de fois

n'avez-vous pas eu des intuitions qui se seraient révélées vraies ? Combien de fois vous êtes-vous retenus de dire des propos que vous souhaitiez dire et qui auraient été bons pour vous, qui vous auraient fait du bien ? Combien de fois vous êtes-vous retenus pour dire que vous aimiez ? Vous savez, l'Âme s'exprime dans tout cela, à travers votre forme. Tout ce qu'il vous faut, c'est comprendre ce qu'est vraiment l'harmonie. Vous cherchez l'harmonie entre les formes ? Nous vous disons de retrouver l'harmonie *dans* vos formes. Ce n'est pas ce que vous avez vécu dans le passé qui compte; ce n'est même pas ce que vous vivrez dans le futur puisqu'il n'existe pas. Si vous planifiez, vous serez deux fois plus insécures; de toute façon, vous aurez peur de ne pas vous y rendre. C'est justement en ne faisant pas trop d'efforts, en la laissant s'exprimer à travers vous que vous la laissez parler... L'harmonie, c'est de se faire confiance à un point tel que ce qui sort de vous, ce que vous ressentez en vous, vous l'acceptez pleinement. Comme cela, elle saura que vous l'entendez, et vous pourrez vraiment demander. Actuellement, vous faites tellement d'efforts pour avoir qu'il vous semble difficile de posséder. Faites comme l'enfant : soyez spontanés, ne vous retenez pas, et sachez rire, et sachez comprendre qu'il n'y a jamais d'erreurs, sauf dans les compréhensions des erreurs. En fait, comme dirait cette forme [Robert], il n'y a que des avantages à faire des erreurs puisqu'en fait elles n'existent pas. Il n'y a pas deux personnes ici qui pourraient dire ce qui est bien et ce qui est mal parce que, pour l'un, ce qui est bien ne l'est pas pour l'autre et, pour l'autre, ce qui est mal ne l'est pas pour l'un non plus. Cessez de vous juger, c'est déjà un premier critère, et apprenez à recevoir. Quelqu'un vous dit qu'il vous aime ? Acceptez-le ! Mais ne vous enfermez pas dans l'amour, exprimez-le. Actuellement, ce n'est pas l'amour qui manque dans les couples, c'est le dialogue. Si cela existe entre deux personnes, imaginez en vous ! C'est cela, laisser l'Âme s'exprimer. Nous avons toujours admiré les artistes pour leurs choix, pour l'amour de l'inconnu, pour leur amour dans l'art, parce qu'ils expriment la vie, leur vie. Et plus ils sont originaux dans l'art d'exprimer leur vie, plus vous les appréciez. Qu'en est-il de vous dans l'art de *votre* vie ? Quand ferez-vous le vrai pas pour vous exprimer, pour être vrais, pour ne pas jouer un rôle qui finit bien souvent par vous déplaire ? Lorsque vous voulez changer ces rôles, vous ne savez plus quoi faire parce que vous avez peur de perdre les gens à vos côtés qui vous ont aimés dans ces rôles. Encore une question pour vous qui observez tant : si vous observez bien les enfants, que fait un enfant lorsqu'il n'est pas à l'aise avec d'autres ?

Il se détourne.

S'il y a d'autres enfants, que fera-t-il ? Il rejoindra les autres, et continuera jusqu'à ce qu'il s'amuse. Bien sûr, s'il est seul, il se refermera sur lui-même. N'est-ce pas aussi ce que vous faites dans vos vies lorsque ça ne va pas ? Ce n'est pas cela que nous

voulons vous montrer. Nous voulons que
vous compreniez qu'il faut que vous vous
retourniez et que vous trouviez le plaisir là
où il n'est plus. Non, vous ne changerez
pas le monde, mais vous pourrez changer le
vôtre, et ce sera bien suffisant. Chacune de
vos vies est une expérience individuelle. Il
n'y a pas une expérience similaire, en ce
sens que vous n'avez pas les mêmes expériences, les mêmes vécus, les mêmes influences passées. Cela compte. Oh ! nous
savons que nous avons employé beaucoup
de mots et que vous ne les retiendrez pas
tous. Toutefois, lorsque vous les relirez,
vous y trouverez tous un autre sens. Donc,
il est très important que vous laissiez entrer
ce que vous entendez; c'est ce qui fera des
miracles. *(Luminance, I, 17-04-1993)*

*Dans le contact avec l'Âme, com-
ment développer davantage notre
perception ?*

En portant beaucoup plus écoute à vos
réactions, en apprenant à développer

encore plus votre intuition, en apprenant à vous faire beaucoup plus confiance et à ne pas toujours aller vers les autres, en apprenant aussi à reconnaître toutes ces fois où vous avez pu vous dire : « J'aurais donc dû », « Je le savais », « Il fallait que... », « Pourquoi ne l'ai-je pas fait, je le savais ? », toutes ces fois où vous êtes passés à côté de quelque chose alors que vous saviez pourtant ce qu'il fallait faire ! Apprenez au travers de cela, apprenez à vous écouter, apprenez vos réactions aussi, apprenez à ressentir ce qui se passe dans vos formes. Il n'y a pas une seule personne ici qui ne sache pas comment elle se ressent lorsqu'elle fait quelque chose de bien ou de mal. Du moins, lorsque vous faites ce qui vous semble être mal, vous vous sentez moins bien et, lorsque vous faites quelque chose de bien, vous vous sentez mieux, n'est-ce pas ? Donc, vous pouvez être à l'écoute, mais ce devrait être en tout temps. Vous devriez en tout temps, à chaque instant de votre vie, apprendre à écouter l'enfant qui est en vous de façon à

vieillir ensemble, de façon à pouvoir mieux
rire dans cette vie. Votre vie n'est conçue
que pour vous apprendre à mourir, c'est
vrai; mais, entre les deux, c'est de prendre
connaissance et conscience de cette autre
dimension, de l'autre 50 % de vous. Si vous
ne vous donnez aucune chance, si vous
n'apprenez pas à vivre vos réactions et à les
comprendre, à distinguer ce qui vous convient de ce qui ne vous convient pas, mais
surtout à agir lorsque vous le savez, vous
n'apprendrez rien. Et ce sera en vain. Au
début de cette session, nous avons posé une
question très importante : avec qui
choisiriez-vous de vivre un milliard d'années ? Sûrement pas avec quelqu'un qui
vous nuirait tous les jours, sûrement pas
avec quelqu'un qui passerait son temps à
obstiner, à vous bouder, à vous dire de vous
taire. Ce n'est pas quelqu'un comme cela
que vous choisiriez; vous choisiriez
quelqu'un que vous aimez profondément, et
à tous niveaux. C'est cela qu'il faut que
vous compreniez, c'est l'ensemble de ce que
vous représentez. Bonnes ou mauvaises

seront vos expériences selon vos con-
sciences; ce n'est pas important. C'est ce
que vous saurez accepter et ce que
vous saurez remarquer qui comptera.
Choisissez-vous avant de choisir quelqu'un
d'autre, sinon vous ne saurez jamais qui
choisir dans votre vie. Vos Âmes auraient
dû être votre premier choix. En bas âge,
c'est ce qui aurait dû vous être montré :
comment les percevoir, comment ressentir
leur chaleur, comment écouter en soi leurs
messages. Vos formes savent tout cela; c'est
votre conscient qui ne le sait pas. Pourquoi
les maladies ? C'est encore plus simple à
comprendre. Quand vos formes entendent
mais que vous ne voulez pas comprendre,
elles se rejettent dans ce qu'elles sont. Il n'y
a pas une seule cellule de vos formes, un
seul atome de vos formes qui ne sache pas
consciemment sa réalité. Il faut seulement
un atome pour vous détruire, ce n'est pas
très gros ! Donc, vous êtes des êtres faibles
dans vos forces, et aussi forts que vos fai-
blesses. Tant que vous n'en prendrez pas
conscience, vous allez vous entretuer, et

souvent sans ouvrir la bouche, sans avoir posé un simple geste. Nous trouvons qu'il est grand temps que tout cela change. Certains n'en ont pas assez mais d'autres, ici même, en ont assez. Et c'est aussi ce qui explique votre présence avec nous : le but de la vie, la recherche. Regardez le nom que vous avez trouvé, L'étoile; il y en avait aussi deux autres très intéressants, mais regardez celui que vous avez choisi : au-dessus de tout, surplombant. Une étoile, vous ne pouvez lui toucher, mais vous pouvez l'admirer, vous pouvez l'imaginer, comme vos vies... Vous êtes tous des étoiles en fait, sauf que vous ne savez pas que vous êtes vus et vous réagissez. Pour répondre à votre question, réagissez moins, vivez plus. Vous comprenez tout cela ? Vous le relirez. *(L'étoile, I, 17–09–1995)*

Comment être sûr de son intuition ? Comment la reconnaître ?

Très bonne question à ce point ! Il y a deux types d'intuition : celle que vous vous créez

afin de vous croire vous-mêmes – habituellement vous la sentez dans votre tête seulement et elle est vite oubliée – ou l'intuition
qui vient directement de l'Âme et, dans certains cas, d'Entités dont vous aviez beaucoup aimé les formes et qui peuvent vous le
retransmettre. Quoi qu'il en soit, vous n'ar-
riverez jamais à mettre des mots sur une
intuition. Vous ressentirez seulement, car
c'est au niveau des sentiments, d'une émotion dans certains cas. Nous préférons le
terme sentiment, comme si vous saviez ce
qu'il fallait faire sans en connaître la provenance, mais que vous soyez convaincus
qu'il faut le faire. Posez-vous une question
lorsque cela se produit, parce que vous
l'avez tous vécu : « Comment vous êtes-
vous sentis lorsque vous ne l'avez pas fait ? »
Nous savons la réponse. Chaque fois, vous
avez dit : « J'aurais dû ! » Demandez-vous
combien de fois cela se produit dans vos
journées. Vous ressentez vraiment ce qu'il
faut faire mais, tout à coup, la pensée prend
la relève, ne serait-ce que pour vous changer
les idées. *(Marée et allégresse, I, 11–09–1993)*

Comment savoir si c'est notre Âme qui nous parle ?

Lorsque vous arrivez à analyser, c'est que ce n'est pas votre Âme. Prenez votre intuition; si elle s'analyse, si ce n'est pas spontané, c'est le cerveau qui vous parle. Tous ici même, vous l'avez déjà vécu lorsque vous avez fait quelque chose de spontané qui vous venait à l'idée et que cela a fonctionné. Regardez le contraire, toutes ces fois que vous auriez dû le faire et où vous vous êtes dit : « J'aurais donc dû ! » Cela arrive beaucoup plus souvent que l'autre cas. Donc, ce qui empêche l'Âme de vous donner cette intuition, c'est que vous n'écoutez pas ce qui est dit. Lorsque vous analysez, à coup sûr, cela ne vient pas d'elle. Elle n'a aucune place pour cela. Ne dites-vous pas des gens qui réussissent qu'ils ont la foi dans leurs idées. Regardez tout ceux qui ont réussi. Ils ont eu un seul point en commun : personne ne pouvait les arrêter dans ce qu'ils voulaient faire, ils croyaient non seulement en eux, mais en leur foi, dans ce qui les entourait. Chaque fois que quelque chose est sur le point de se produire, ne pensez pas avec votre tête, pensez avec votre coeur. S'il ne vous vient aucune solution, pensez-y avec votre tête. Plus vous serez habitués, plus vous aurez vos réponses avant même d'y penser et vous le ferez, et vous aurez le temps d'y penser après. Demandez et vous recevrez. Cela devient tellement facile que vos vies deviennent complètement automatisées et c'est beaucoup plus important pour vous puisque vous avez le temps de vous amuser au travers de cela – ce n'est pas ce que nous observons le plus souvent de vos quotidiens. Combien d'entre vous font ce qu'ils n'aiment pas ? Vous allez nous dire : « Oh ! il y a la sécurité. » Cela ne vous empêche pas de commencer à regarder. Si vos vies n'étaient que cela, combien d'entre vous choisiraient de continuer ? Vous êtes ici parce que vous avez espoir qu'il y ait autre chose; vous avez espoir de comprendre autre chose et d'être autre chose. *(Arc-en-ciel, I, 09–04–1994)*

Lorsqu'on a une forte intuition, est-ce que c'est toujours un message de notre Âme ?

Pas toujours. Dans certains cas, des gens très habiles avec eux-mêmes, qui veulent entendre leur réalité, leur vérité, finiront par développer dans leur cerveau une cachette – appelez cela ainsi si vous voulez – de vérités propres à eux-mêmes. Ils finissent par créer leur réalité en eux-mêmes. Mais cela ne vient pas automatiquement de l'Âme. La différence est simple, même très souvent trop simple pour être comprise. Lorsque cette intuition vient de l'Âme, vous avez l'état d'être qui l'accompagne en même temps et vous n'aurez même pas le goût de l'analyser ou de la remettre en question; vous n'aurez même pas un propos contraire dans votre tête. C'est soudain, c'est subit. L'intuition, ce n'est pas de l'analyse. Au contraire, quand cela viendra de votre tête, de vous-même, vous aurez toujours de l'analyse qui s'y rattachera, des pour et des contre immédiatement, aucun état d'être. Vous approcherez cependant une copie de l'état d'être que vous souhaiterez. Vous comprenez cela ? Donc, l'intuition est un peu comme un coup de foudre, pour ceux qui ont connu cela. Ce n'était pas l'analyse de la personne face à vous qui vous a fait donner ce coup de foudre, mais ce que vous avez ressenti sans pouvoir trouver de mots. L'intuition, c'est un peu cela. Vous avez une réponse qui vous donne un état d'être qui vous transporte, et vous savez qu'il faut le faire. De 2 à 3 % des gens l'utilisent, pas plus, parce qu'ils finissent par croire qu'il faut analyser pour comprendre quelque chose. L'Âme se fatigue, finit par vous laisser agir par vous-même, finit par vous laisser croire que vous avez raison et attend que la mort de la forme se produise, parce que vous n'entendez plus. Qui vous a dit que la vie devait constamment être programmée, que vous deviez la mériter, que vous deviez sans cesse faire des efforts pour la mériter ? C'est votre société; mais ce n'est pas la

réalité. Sinon, pourquoi vous aurait-il été
mentionné qu'il fallait renaître pour vivre ?
La vérité est toute autre. Une fois que vous
aurez compris cela, comme plusieurs le font
d'ailleurs, les événements se produiront tels
que vous les souhaitez dans votre vie; vous
n'aurez qu'à y penser et à passer à autre
chose. C'est cela la foi. C'est ne pas se
remettre en question et avoir suffisamment
confiance en ses pouvoirs de décision
intérieurs pour ne pas vouloir analyser.
Cela, c'est vivre ! Certains vivent ainsi et
ne le savent pas. Vous êtes limités par la
distance que vos formes peuvent parcourir,
pas votre Âme. *(La source, I, 09–04–1995)*

J'ai un cri du coeur qui me
pousse...

Reformulez cela calmement s'il vous plaît.

Pourquoi suis-je orientée actuellement dans
une direction précise qui se manifeste par

*un cri du coeur et d'où vient ce cri du coeur,
est-ce l'Âme ou la forme ?*

Un cri du coeur, un appel si vous voulez, un
ressenti profond qui vous transporte, ce
n'est pas votre forme. Mais faites attention ! Vous êtes très vulnérable actuellement, nous dirions depuis huit mois en fait,
face à ceux qui vous parlent, qui vous
entourent. Vous changez facilement d'avis,
d'idée. Soyez prudent à ce niveau.
Apprenez à ne plus regarder avec vos yeux,
mais à ressentir en vous ce qu'est la vie.
Vous nous posez cette question parce qu'il
y a de l'incertitude entre le raisonnement et
ce que vous voudriez que ce soit. Oui, il
y a un cri de votre coeur, mais il y a un cri
du raisonnement aussi et cela vous rend
indécis dans ce que vous vivez. Donc,
apprenez à le faire pour vous, à vivre ces
dimensions qui se rajouteront d'ici trois
mois, mais à les vivre pour vous, pas en
pensant aux autres, pas en étant influencé
non plus, sinon cela vous nuira. *(La source,
III, 11–06–1995)*

Vous avez dit qu'il y avait un autre niveau après l'intuition. Comment peut-on y arriver ?

Regardez en chacun de vous. Qui n'a jamais eu de bonnes intuitions ? Tout le monde en a déjà eues. Qui d'entre vous, sachant que l'intuition qu'il a est bonne, n'a pas décidé d'attendre, juste pour voir s'il avait raison ? Vous avez tous vécu cela pour ensuite vous en rendre compte et dire : « J'aurais dû le faire quand c'était le temps. La prochaine fois... » Et la prochaine fois, vous faites la même chose. Développer l'intuition dans vos formes, c'est déjà un art. Cela veut dire se faire confiance, même au niveau conscient. Une intuition, ce n'est pas une idée que vous avez comme cela dans votre tête; ce n'est pas une idée que vous venez d'analyser. S'il y a délai dans l'application d'une intuition, c'est parce que cette idée a surgi dans votre tête sans que vous ne puissiez comprendre d'où elle vient. Vous devez faire un mouvement, dire quelque chose, mais vous ne le faites pas parce que vous ignorez d'où cela vient. Donc, vous attendez, juste pour voir. Combien font cela ? La majorité. Maîtriser cela, avoir confiance au point d'écouter même ce que vous n'avez pas pu raisonner, c'est déjà énorme. Supposons que vous ayez passé ce point, que vous écoutiez à chaque instant; vous auriez alors franchi un pas énorme. Ce serait le lâcher prise, la réalisation de la totalité de votre être, à la fois de ce qui le compose et de ce qui peut le décomposer. Nous ne parlons pas de pourriture, vous le savez fort bien ! Nous parlons d'énergies qui peuvent harmoniser ou détruire vos formes mais qui, consciemment dirigées, peuvent aussi disperser les cellules d'une forme. Tout dépendra de vos connaissances à ce niveau, pas des connaissances en mots mais des connaissances en vécu, en expérience si vous préférez. Si vous en venez à vivre comme nous l'avons dit au début de cette session, que vous le faites chaque fois que quelque chose se passe et que cela vous réussit, cela vous encourage et vous recommencez. N'est-ce pas comme cela que vous avez appris à marcher, en tombant ? C'est de la même façon que vous pouvez apprendre à vivre. Vous apprenez à garder l'équilibre pour vous tenir debout ? Apprenez l'équilibre de vos intuitions, sentez-vous à l'aise avec cela et vous allez vraiment marcher comme vos formes sont supposées le faire. Vous verrez que ces formes ne sont pas souvent malades, s'entretiennent très bien et pour une raison fort simple : elles trouvent d'autres formes comme elles, et d'autres encore, et elles s'entraident sans faire d'effort. C'est comme cela que vos vies devraient être. Donc, vous n'avez pas 26 étapes à franchir. Passé l'intuition, que vous aurez maîtrisée par la confiance et la foi en vous, l'étape suivante est la bonne, car vous ne voudrez jamais revenir du côté de l'analyse. L'énergie de vos formes que vous prenez pour penser, c'est déjà les deux tiers de ce qu'il vous faut pour vivre. La preuve ? Comment se fait-il que ceux qui travaillent avec la parole, même avec la pensée, soient si épuisés après leur journée de travail ? Vos pensées, même si vous ne les entretenez pas, et tout ce qui vous nuit continue à travailler; et si, en plus, vous avez des tracas quotidiens que vous ne réglez pas, ce sont des fatigues accumulées et de l'énergie en moins pour vivre. Et lorsque vous passez une certaine étape de vos vies, vos énergies sont tellement absorbées à la fois par vos tracas et par les batailles dans vos têtes que vous n'en avez plus suffisamment pour votre forme. Certains organes demandent plus d'énergie que d'autres et, lorsqu'ils ne les ont pas, vous les tuez, c'est tout. Et vous le faites avec vous-mêmes. Peu importe ce que vous ferez dans vos vies, si vous faites de l'abus, vous serez punis par ce même abus. C'est la même chose pour votre façon de penser et de gérer vos énergies. Lorsque vous passez un certain seuil de tolérance, vos formes cèdent. Lorsque vous comprendrez vraiment nos propos, lorsque vous comprendrez que vos cerveaux sont des organes de traduction et que vous n'avez qu'à faire ce qu'ils vous disent, vous vivrez;

mais si vous employez toutes vos énergies à gérer cet outil que vous avez, vous allez déconcentrer cette énergie et déséquilibrer vos formes. Et lorsqu'elles seront suffisamment déséquilibrées, vous irez dans de beaux draps blancs avec des gens qui vous diront peut-être qu'ils vous aiment et qu'ils ont hâte de vous revoir. Si vous n'avez pas cette chance, l'incinération sera effectivement une bonne solution. *(L'envolée, II, 19-09-1992)*

Si vous placez les mots entre nous et vous, que vous analysez chaque syllabe, vous jouerez encore avec des mots alors que d'autres accumuleront les sensations, les perceptions, les intuitions. Ce ne sont pas tous les mots que nous prononçons qui touchent chacun d'entre vous, mais chacun d'entre vous reçoit. Nous n'oublions personne, mais vous avez le choix. Tous et chacun ont déjà reçu. Saurez-vous le reconnaître ?

Oasis

La collection Oasis

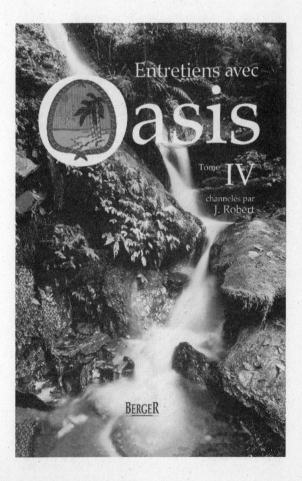

Entretiens avec

Oasis

Tome IV

channelés par
J. Robert

BERGER

Entretiens avec Oasis, tome I
Channelés par JRobert
720 pages, avec index détaillé et cumulatif des
sujets et des noms propres
ISBN 2-921416-05-0
1994

- Ce que sont les Cellules, les Entités, les Âmes et
les formes
- But de l'intervention actuelle des Cellules sur la
Terre
- Cycle des réincarnations
- Comment prendre soin de nos formes
- Naissance, vie, respect de soi
- Vieillesse, maladie et mort
- Faux espaces entre la matière

Entretiens avec Oasis, tome II
Channelés par JRobert
732 pages, avec index détaillé et cumulatif des
sujets et des noms propres
ISBN 2-921416-09-3
1995

- Ensemble qu'on appelle Dieu, et religions
- Notre planète
- Âme comme raison de vivre
- Influences, énergies, peurs
- Comment contacter notre Âme à travers les
rêves, l'intuition, la méditation et l'amour de soi
- Liens entre les faux espaces

Entretiens avec Oasis, tome III
Channelés par JRobert
732 pages, avec index détaillé et cumulatif des
   sujets et des noms propres
ISBN 2-921416-11-5
1996
- Rapports entre les humains, sociétés, période
  actuelle d'évolution de la planète
- Sens de la souffrance, pardon
- Affirmation de soi
- Définir son bonheur et faire ses choix
- Lâcher prise et vivre ses changements
- Amour et sexualité
- Pensées, émotions et états d'être
- Réalité de nos vies, Âme comme valeur vraie

Entretiens avec Oasis, tome IV
Channelés par JRobert
732 pages, avec index détaillé et cumulatif des
   sujets et des noms propres
ISBN 2-921416-16-6
1998
- Univers, origine des humains et mondes
  extérieurs
- Famille, enfantement, éducation des enfants
- Originalité
- Rôle de la famille et du couple
- Union de l'Âme et de la forme, fusion, conti-
  nuité de la vie après la mort physique

Cartes Oasis

ISBN 2-921416-14-x

54 maximes originales permettant d'approfondir les enseignements d'Oasis et les divers cours de JRobert. Complément essentiel à la collection. À utiliser au quotidien pour vivre les nouvelles compréhensions et réussir sa vie.

Thèmes des livres de poche

Les rêves
Le lâcher prise
L'acceptation de soi
Les Cellules
La dimension des Cellules
La mission des Cellules
Le cycle des incarnations
Le conscient
Les formes
Le soin des formes
La naissance
La vie
Le respect de soi
Le vieillissement
La maladie
La mort
Les faux espaces
L'Ensemble
Notre monde
Le lien entre l'Âme et la forme
Les liens entre les Âmes et les Entités
Les influences
Les énergies
Le contact avec l'Âme
Les peurs
La foi
L'intuition
La méditation
Le langage des Âmes
La médiumnité
La famille
Le couple

L'amour
Les Âmes
Les Entités
L'amour de soi
Les religions
Les liens entre les faux espaces
L'automne de nos vies
La souffrance
Le pardon
Le bonheur
Les choix
Le changement
La sexualité
Les autres
Les pensées
Les émotions
Les états d'être
La réalité
L'Univers
L'origine des formes
Les mondes extérieurs
L'union de l'Âme et de la forme
Le langage des formes
La guérison
La double naissance
La tendre enfance
L'éducation
La continuité
Les missions de vie
La fusion
Les mondes parallèles

Pour l'ensemble de nos activités d'édition,
nous reconnaissons avoir reçu l'aide financière
du gouvernement du Canada par l'entremise du
Programme d'Aide au Développement de
l'Industrie de l'Édition (PADIÉ)
et de la Société de Développement des Entreprises
Culturelles du Québec (SODEC) dans le cadre du
Programme d'aide aux entreprises du livre
et à l'édition spécialisée.

Transcontinental
IMPRESSION
IMPRIMERIE GAGNÉ

IMPRIMÉ AU CANADA